3 西漢
西元前206～西元24年 ［注音本］

全新 吳姐姐講歷史故事

吳涵碧◎著

目錄

【第52篇】

張良與神秘老人。

張良是反抗秦朝的重要人物。他的祖父和父親，先後當過韓國的宰相，在秦滅韓的那一年，他的父親因憂國憂時而去世，張良的弟弟接著也死了。國破家亡同時加到這位年輕人身上，他難過無法爲弟弟辦喪事，也懶得管理家中的三百僮奴。張良把全部家產都拿出來，到處結交英雄豪傑，想找個刺客殺秦王，以報國恨家仇。

當時秦已統一天下，聲勢浩大，到那兒去找一個敢拔老虎鬚的刺客呢？

張良找了很久都沒有找著，最後，聽說有個大力士，名叫倉海君，能舉得起一百二十斤重的鐵鎚，為了逃避秦的暴政統治而隱居在朝鮮半島。張良不辭千辛萬苦找到了這位大力士，他也答應了。

機會來了。秦始皇要去東巡，他們就埋伏在半途，沒想到倉海君的鐵鎚沒打中秦始皇，只打中一輛空車。秦始皇大為憤怒，下令嚴厲搜捕刺客。

這件事很快的轟動全國，張良的勇敢俠行很得一般人讚賞。他長得眉清目秀，和藹可親，所以百姓們樂於幫助他。因而張良流亡在徐州一帶，反而很安全，聲望也漸漸高起來。

有個深通兵法的老人很欣賞張良，又擔心他從小嬌生慣養，是優渥環境中的貴族青年，恐怕缺乏忍耐功夫，成不了大事。便想考驗一下張良，

於是：

有一天，張良到經常去散步的橋上遊玩，忽然看見一個邋遢的老頭兒慢慢走上橋來。經過張良的身邊，故意把脚一抖，鞋子就滾到橋下去了。老頭兒轉過臉來很不客氣的說：『年輕人，去把我的鞋子撿起來！』

張良一聽很不開心，心想：『我又不認識你，你憑什麼對我這樣兇？』氣得想揮老頭兒一拳，但是這老頭兒頭髮花白，走路一拐一拐的，看起來很可憐。張良終於忍下這口氣，走下橋去，替他把鞋子撿上來。

這時老頭兒端坐在橋頭，見張良上來便把脚一伸，很神氣的說：『喏！穿上。』張良看看那隻髒兮兮的臭脚，又好氣又好笑，心想好人做到底吧，就跪在地上幫他穿上。

這回，老頭兒很滿意，撚著鬍子慢慢站起來，也不道謝便下橋去了。張良覺得很奇怪，跟著老頭走了一里多路，老頭兒忽然回頭，笑嘻嘻道：『孺子可教矣，五天之後天快亮時，你到這兒來與我相會。』

五天到了，一大早張良趕去，老頭兒已先到了，很生氣的責備張良：『你年輕人跟老年人約會，竟然要我等你？太不像話，過五天再來。』過了五天，雞一叫，張良就趕去，沒料到老頭又已坐在那兒等，當然又訓了張良一頓。

張良心中很火，不便發作，想想還是勉強忍了下來。又過了五天，他連覺都不敢睡，在月光下摸到了約會地點。這次老頭兒沒在，過了一會兒，老頭兒拄著拐杖一步一步走來，笑著說：『好孩子，有出息！』說完，就自衣袖中抽出一部書，交給張良說：『你讀了這部書，將來可當帝王的軍師。』

接著老頭兒又一擺手說：『不必多問，十三年後你再到此來，如看見一塊黃石頭那就是我。』

張良從老人手裡拿到的是一部兵法，熟讀研究後，有了不少心得，後來終於幫助劉邦奪得天下。十三年後他回到橋頭，果然看見一塊黃石頭，就把石頭帶回去供奉。張良很感激這位老人家使他了解『忍耐』的重要。可見得要想做大事，請注意從小培養自己的忍耐功夫，一輩子受益無窮。

閱讀心得

【第53篇】

劉邦生有異相。

劉邦是中國歷史上第一位出身平民而做到皇帝的人。

劉邦是家裏的老么。他生下來的時候，額頭很高，鼻子很長，左邊的大腿上有七十二顆黑痣，據說是貴人之相。

他有兩個哥哥，都跟著父親種田，劉邦漸漸長大，卻不喜歡農事，整天到處遊蕩；父親常常訓斥他，但也拿他沒辦法。劉邦因爲怕父親罵，不肯回家，輪流到兩個哥哥家去住。

劉邦的大哥不久就死了，他大嫂本來就討厭這個小叔，這下當然更不願供食住了。劉邦也不識相，照樣去大吃大喝，不但如此，還常常邀了一大群朋友去打擾。

有一回，他大嫂實在煩死了，跑回廚房，用鍋瓢大聲的刮鍋底，發出沙沙難聽的聲音，好像在說：『沒飯了，你們請走吧。』等到劉邦的朋友們訕訕的走了，他走到廚房一看，見鍋上熱騰騰的，還有大半鍋的飯菜，才知道大嫂在趕人，臉一紅，從此再也不來了。

於是，劉邦就轉移陣地，到隔壁的酒店裏去吃東西。他沒錢只有賒帳，但是因爲劉邦夠義氣，朋友一大堆，他一進酒店，酒店就生意興隆，所以酒店老闆也就讓他白吃白喝了。

酒

但劉邦並不是眞的沒出息，他很聰明，也想做一番事業，學了一些法律。不久，便得到一個沛縣泗水亭長的差事，判斷訟事做得很不錯，也結交了幾個像蕭何之類的好朋友。

有一次，劉邦到咸陽去辦事，秦始皇的御駕正經過，聲威赫赫，冠冕堂皇。他看了非常羨慕，嘆息道：『大丈夫就應該如此。』

過了幾天，蕭何來找劉邦聊天，說縣裏來了一位呂公，是縣令的好朋友，凡是縣裏的官員都要去參加歡宴。第二天，劉邦到了縣衙門大廳，蕭何看見他，故意開玩笑高聲喊道：『送禮不滿一千錢者，只能坐在堂下。』沒料到劉邦在禮簿上竟寫送禮一萬錢，然後走進去高坐首席，舉杯痛飲。散席後，呂公特別留下劉邦道：『我想把小女嫁給你。』劉邦一聽，馬上下跪叫岳父，娶呂公的女兒呂雉爲妻。

秦二世元年，胡亥下令各郡縣，把罪犯押往驪山，修築秦始皇的陵墓，劉邦也押了一批人犯上路。一出縣境，溜走了好幾名；再往前走幾十里，又不見了幾個；在旅館睡了一晚，醒來又少了人。劉邦一個人管不住，心中煩得慌，便喝酒買醉，喝到太陽都下山了，還沒有動身。

忽然他一跳而起說：『各位到了驪山做苦工，將來也不免一死，我放了你們如何？』大家都喜出望外，有個囚犯問劉邦：『那你如何交差？』劉邦拍拍胸脯說：『那我也只有逃了，還回去送死不成？』似乎是劉邦的『義氣』感動了大家，立刻有十多個人說：『我們願意跟你走。』

於是，劉邦趁著酒興，踏著月色，帶著十多個人走進荒山。走到半路發現一條大蛇，大家都嚇得縮腿，劉邦膽子很大，一刀就砍斷大蛇，進入芒碭山上避難。

大家還記得陳勝嗎？陳勝這時想攻打沛縣，蕭何向縣令建議找劉邦來防守，這時劉邦的手下已有一百多人。沛縣縣令接受了蕭何的建議，召劉邦前來，可是，當劉邦到了沛縣城下，縣令卻反悔了，不准劉邦入城。於是劉邦寫了一封信，大意是說：『天下苦秦已經很久了，希望大家殺掉縣令，開門投降。』然後，把信綁在箭頭上射到城裏去。城中父老早就想解脫秦的苛法統治，便聽從劉邦的主意，把縣令殺了，迎接劉邦進城。大家推舉劉邦主持沛縣的政務，所以史書上稱劉邦初起之時爲『沛公』。

有人說劉邦在路上砍的蛇是天上天帝的兒子，也有人說劉邦的頭上有雲氣圍繞。其實，這和說他生有異相一般，都是爲增加他的威望編造出來的。事實上劉邦因爲意氣豪邁，有義氣、有膽識，所以在秦末角逐天下的群雄中，能夠脫穎而出，並不是生有異相。所以用不著迷信相術。

閱讀心得

【第54篇】項羽破釜沉舟大戰鉅鹿。

在秦末諸雄之中，兵力最強的是項羽。

項羽是楚國人，他的身世很可憐，從小是個孤兒，跟著叔父項梁過日子。項梁教項羽讀書，讀了好幾年，沒有一點兒成績；改教他學習劍術，還是一竅不通。項梁很生氣，把他狠狠罵了一頓。他說：『念書沒有什麼大用處，不過會寫字罷了；學劍也只能保護自己，對付一個人；我要學就學能對付一萬個人的本領！』

項梁便說：『好，你既然有這種志氣，我就教你練兵法。』項羽一開始學得很認眞，過了幾天又沒有興趣了，項梁也懶得再管他。

秦始皇東巡時，項梁帶著項羽去看熱鬧，大家都嘖嘖稱讚天子的威風，只有項羽指著鑾駕道：『我看我可以取代他的地位。』項梁聽了，趕緊用手摀住他的嘴：『你想害死全家不成？』

這時，項羽已經二十歲了，身高八尺，眼睛裏有兩個瞳人，力氣大得能夠扛鼎。項梁待在家裏偷偷製造兵器，蓄養了一些壯士，準備大幹一番。

陳勝、吳廣起事以後，他們叔姪二人殺了郡守，自組武力，以後與劉邦共尊楚懷王爲天子，共同抗秦。而項梁在一場戰役中不幸被殺，項羽非常悲痛。

當時，秦軍包圍了鉅鹿（這是戰國時的趙國），楚懷王問誰願意去救趙？項羽要爲叔父報仇，首先響應，被任命爲次將。主將宋義帶了大軍前往，走到半路，聽說秦兵強盛，便有些害怕，下令停止前進，宋義的理由是『等秦趙先打一仗，消耗些兵力再說，現在就發兵，豈非拿肉餵老虎？』

項羽一怒之下，先殺了宋義，然後下令前進。到了河對岸，他命令把船沉掉，飯鍋敲爛，只准帶三天乾糧，表示決一死戰，絕不後退。

到了鉅鹿附近，兩軍逐漸接近了，只見秦軍陣容整齊，人馬精壯，看來像泰山般矗立眼前。而項羽帶領的楚兵呢？衣服破爛，三三兩兩，凌亂沒有陣式，也看不出一點紀律。

那裏曉得項羽似乎是煞星下凡一般，率領兵士就往前猛衝，根本不理會什麼陣法，見人就砍。因爲楚兵少，秦兵多，一對一分配不過來，所以都是以一當十，奮勇上前衝殺，就像是一頭頭掙出柵欄的野獸，發瘋似的猛衝，而且發出了憤怒的吼聲。不但秦兵嚇傻了，在鉅鹿附近的其他反秦軍，也都目瞪口呆。

項羽眼見秦軍大將章邯嚇得像狗夾著尾巴逃遠了，才下令紮營休息。第二天早上，他告訴士兵們說：『各位今天要是不把秦兵殺光，咱們就沒有糧食可吃了。不是他們死，就是我們亡。弟兄們，幹吧！』

於是，一大群士兵像黃河的水一般湧出，直奔秦兵。一共打了九個回合，每次都是打得秦軍大敗而逃。

各反秦軍的將領，看到秦營已成一片焦土，秦兵死的死，降的降，紛紛陸續拜見項羽，跪在地上說：『上將神威，天下少有，我們願意接受你的指揮。』項羽也不推辭，笑笑說：『你們先回去吧，有需要時，我會通知大家的。』已是一派領袖的口吻了。

經過鉅鹿之戰，他的聲威已經建立起來了。

閱讀心得

【第55篇】漢高祖知過能改。

漢高祖劉邦到底有什麼本領，使得天下信服呢？請看下面的故事：話說有個叫酈食其的人，喜好讀書，家貧落魄，在里中當個監門吏的小官。年紀很大了，抱負還不小，縣裏頭的人管他叫『狂生』，認爲他很狂妄自大。

劉邦來到縣中後，酈食其準備去求見，有人勸道：『您免了吧，劉邦最不喜歡讀書人了。遇到這般人來，劉邦就叫他們把帽子脫下來，拿帽子當尿盆。平時言談之間，也常常笑讀書人迂腐，罵讀書人冬烘。』

酈食其不聽，決定去闖闖看。

等他進去一看，劉邦正舒舒服服坐在床上，兩個侍女跪在地上幫他洗腳、揑腿。看到酈食其來了，理都不理，好像沒見到人一般。酈食其一看火冒三丈，大聲罵道：

『引兵到此，是想幫秦國攻打諸侯嗎？』

劉邦白了他一眼，看他穿著儒衣儒冠已惹人厭煩，又看他舉動粗野，不免發了脾氣：『笨老頭，你沒看到天下苦秦，怎會有人願意幫秦國？』

『好，你以這種態度對待長者，看以後還有什麼賢人爲你獻計？』說完，酈食其轉身就走。

劉邦聽了，立刻從床上跳起，擦乾腳，換上正式衣服，恭恭敬敬請酈食其上座。

酈食其便說：『以你這一點兵力，想對付秦國，那眞是羊入虎口，還不如先打下陳留。陳留是交通要衝，城中糧多馬足，我可以助你一臂之力。』

原來酈食其是縣令的老朋友，當天晚上他把縣令灌得爛醉如泥，偷偷打開城門，劉邦率領軍隊輕易攻下了陳留。以後繼續西進，並且得到張良的幫助，攻進了咸陽。子嬰駕著素車，乘坐著白馬，脖子上套著繩子，手上捧著國璽，流著眼淚出城投降，結束了秦朝短短十五年的壽命。

劉邦的部隊進入宮殿後，大家搶入府庫，搬出金銀財寶拚命往衣袋中塞，一個個眼睛都鼓出來了。只有蕭何一人到丞相府去，把秦朝的圖籍找到，檢查好關塞險要，戶口多寡，以便於日後用兵。

秦朝的宮殿雕樑畫棟，引人入勝，花花綠綠的簾帳，奇奇怪怪的古董、珠寶，劉邦眞是興奮極了。尤其是後宮佳麗全體湧上，一個比一個美。劉邦本是好色之人，在這個臉上摸一把，那個手上捏一下，樂得昏陶陶。

這時，樊噲闖進來說：『你是想要天下，還是只想當個富翁呢？怎麼像中了魔似的？』劉邦仍不動，慢吞吞的說：『我累了，便在這兒睡一覺吧。』說著，笑嘻嘻的左顧右盼身旁的美女。

此時，張良進來對劉邦說：『因爲秦無道，你才能進到這裡。你不設法除去秦的暴政，一來就要享受，恐怕明天就得完蛋！』這些話眞是一針見血，劉邦如大夢初醒，立即下令封閉府庫，退出宮殿。

第二天，劉邦召集地方父老，對他們宣佈：『秦朝的法令太嚴，使你們受苦了，現在我已入關，與大家約法三章：殺人者死，傷人及盜者抵罪。苛令全部取消，你們可以安心過日子了。』百姓們都歡天喜地走了，劉邦又傳令三軍，不得騷擾民眾，違令者立斬，人們對劉邦的印象更好了。

劉邦的長處就在此。他犯了錯，旁人指正時，他能接受並且馬上改過，所以能成就大業。

閱讀心得

【第56篇】

鴻門宴。

劉邦入關，子嬰投降不久，項羽也擊潰了二十萬秦軍，率領大隊人馬趕到了函谷關。他一看，隨風飄蕩的大旗上都寫著『劉』字，想起在路上聽到劉邦已搶先一步的消息，心裏很緊張，便昂著頭說：『我率領大軍來此，你們趕快開門啊。』

守卒說：『劉邦有令，無論何軍不准放入！』項羽聽了勃然大怒：『劉邦是什麼東西？竟敢不放我進去？哼！』立刻架起雲梯，衝破城門，在鴻門駐紮下來，商討對付劉邦的計策。

項羽的參謀范增站出來說：『劉邦以前在山東時貪財又好色，現在進入秦關，不拿財物，不近女人，作風大不相同，這是具有大志，咱們不能小看劉邦。』

項羽說：『打劉邦有什麼困難？現在天晚了，就讓他多活一夜，明天再拿下他的腦袋！』

此時項羽大軍號稱百萬，氣焰萬丈，劉邦只有少少十萬人，看來完全不是對手。項羽有個叔父名叫項伯，以前得過張良的恩惠，現在聽到項羽的話，很爲張良捏一把汗。

於是，項伯偷偷溜出營外，騎了一匹快馬急急忙忙去見張良。他扯著

張良的衣袖說：『你留在這兒等死有什麼用，還不趕快跟我走。』

張良說：『劉邦待我不錯，不好意思一走了之。』他堅持要告訴劉邦一聲再走，項伯只有依他。

張良進去和劉邦商量的結果，是想請項伯幫忙，項伯說：『這不太好吧，我來通知你，完全是私人交情，怎能去見劉邦？』張良說：『你救劉邦，等於是救我，何況天下未定，劉、項不該自相殘殺。』

項伯無法拒絕，只好去見劉邦。劉邦口口聲聲叫哥哥，並且表示兒女可以聯姻通婚，項伯難以推辭便答應說情。然後，又快馬趕回軍營去見項羽說：『我勸張良投降去了。』

項羽急著問：『人呢？』項伯說：『張良認爲你不合情理，不來了。』

想人家劉邦入關後，對秦宮財寶碰都不敢碰，就等著你來處理，你還要攻打劉邦，太過分了！明天劉邦會來謝罪，你該好好待他，爭取天下人心。』

項羽想想有理，也就答應了。

第二天，項羽的部隊裝備整齊，等著去打劉邦，沒想到命令一直未下，而劉邦帶著張良、樊噲乘車而來。劉邦下了車，見兩旁武士環列，殺氣騰騰，心中直打哆嗦，只有張良神情自若，不慌不忙。

劉邦像是羊入虎口，提心吊膽的下拜說：『劉邦不知將軍入關，沒去迎接，罪過罪過。』項羽哼了一聲道：『原來你還知道自己有罪。』

劉邦說：『我們約好了，你從北路攻咸陽，我從南路攻咸陽。我僥倖先入關，什麼也不敢動，候你來，有何不對？倒是有人挑撥離間，太不應該。』

項羽本是胸無城府的粗人，一聽之下，覺得自己確是理虧，連忙下去握緊劉邦的手，請劉邦入上座，頻頻爲劉邦佈菜倒酒。

范增一心想把劉邦殺掉，一連三次舉起身上玉玦，用眼光暗示項羽趕快下手，沒想到項羽竟視若無睹。范增急了，把項羽堂弟項莊叫了進來說：『主公外剛內柔，劉邦來送死，他還不下手。你去敬酒，借舞劍的機會把劉邦刺死，永除後患。』

項莊就前去斟酒，然後說：『讓我舞劍助興。』說完拔劍出鞘，劍鋒每每接近劉邦。張良急得拚命向項伯使眼色，項伯便離席道：『要對舞才好看。』劍來劍往，一個要殺劉邦，另一個要保護劉邦，劉邦早已嚇得臉上一陣青一陣白。

樊噲在軍門外聽張良說情況危急，左手持盾右手拿劍便闖了進去，衛士也攔不住他。樊噲亂撞亂推的闖到項羽前面，眼睛瞪得快要裂開，頭髮豎起，像是要吃人。大家都看呆了，張良說：『這是劉邦的車夫。』項羽隨口讚道：『好一個壯士，拿些酒肉給他吃！』

手下人便拿了一斗好酒、一隻豬蹄給他，樊噲接過酒壺一口喝光，然後用刀切肉送入口中。項羽問：『能不能再喝？』樊噲說：『笑話，死都不怕，還在乎一點酒？』並罵了項羽一頓。

而劉邦趁著項羽酒醉，以上廁所爲名，悄悄溜了。等項羽醒了，張良立刻獻上白璧一雙，說盡好話，項羽也就息怒了。靠著張良的機智，劉邦總算逃過了這場驚險的鴻門宴。

閱讀心得

【第57篇】

韓信受胯下之辱。

韓信是淮陰人，很小的時候父親就去世了，家裏很窮苦。他不會種田，又不懂做生意，整天遊遊蕩蕩，餓了就到朋友家去吃一頓。老母沒人供養，不久愁病而死。

南昌亭長和韓信交情不錯，韓信常去他家便飯。亭長的妻子大為不高興，故意把開飯時間提前或挪後。韓信等了半天吃不到東西，知道自己惹人生厭，不好意思再去亭長家了。

於是，他到淮陰城下釣魚維生。釣得幾尾魚，拿到市場上去賣，勉強餬口；有時釣不到魚，只有餓肚子。

釣魚的河邊每天都有許多女子在洗衣服，其中有個老婆婆常把午飯分一半給韓信。韓信很感激，便對老婆婆說：『眞謝謝您，將來我有辦法時，一定要好好報答您。』

話還沒說完，老婆婆瞪著眼睛罵人了：

『大丈夫不能謀生，潦倒成這個模樣。我看你七尺鬚眉，像個王孫公子，不忍心才給你飯吃，那想要你報答？』說完就走了。

韓信望著老婆婆漸漸消逝的背影，暗暗立誓，日後發跡時，要重重的謝謝她。

韓信家裏沒有什麼值錢的東西，只有一把寶劍。韓信外出時，總愛把劍掛在腰口。有一天，他在街上閒逛，碰到一個小流氓，扠著腰，當面侮辱韓信說：『小子，我看你老掛著一把寶劍幹什麼的？瞧你，塊頭滿大的，膽子怎麼像老鼠？』

街上的人都圍攏過來看熱鬧，小流氓更猖狂了。他接著又挖苦韓信：『你如果有種，不妨拔出劍來和我一拚。不然的話，嘻嘻！你就得從老子褲襠下爬過去！』說著便撐開兩腿，用手指一指胯下。

韓信觀望了一會兒，便一語不發的趴在地下，從流氓的褲襠下乖順的爬了過去，旁觀的人笑得眼淚都流出來了。韓信站起來沉默的離開了鬧市。

以後他投在項羽麾下，但項羽不重視他，又轉在劉邦旗下，依舊只做個『連敫』的小官。

有一回，韓信和同事們酒後發牢騷，被劉邦知道了，以為這些人想造反，把他們抓來後就準備砍掉。一連砍了十三個人的腦袋，輪到韓信時，他大喊：『漢王不是想要得到天下嗎？為什麼又要殺死壯士？』

劉邦聽到監斬官報告這件事，免了韓信的死罪，還把他的官往上升了一級，但終究還是個不起眼的小官吏。

劉邦的參謀蕭何倒是隨時在留意人才，他看準了韓信將來有出息，向劉邦保薦韓信。韓信看到蕭何能夠賞識自己，就安心等好消息。

天天等、日日盼，過了一個月毫無動靜，韓信覺得沒指望了，悄悄的收拾行李便上路，想離開劉邦，另謀發展。蕭何聽到消息，如失至寶，選了一匹快馬就追上去，一直追了一百多里路才追上韓信，然後說盡好話，韓信才答應回去。

劉邦在宮裏聽說蕭何出走，急得發狂，他覺得蕭何一走，自己好像斷了兩條手臂一般難過。所以一看見蕭何回來，又高興又生氣的說：『你怎麼背著我逃走呢？』

蕭何回答道：『我那裏是逃走，我是去追逃走的人啊！』

等到劉邦問明白是怎麼一回事，也就答應任命韓信爲大將，並且造一個壇，選一個黃道吉日，隆重舉行拜將典禮。

劉邦還一連吃了三天素，這是古人表示隆重的方式。到了當天，壇前懸著大旗，隨風飄蕩，壇下四周，兵士環列，眞是威風極了。從此，韓信正式成為劉邦手下一名大將。

一個人要能忍，才能成大事。韓信如果不能忍耐，和那些小流氓打起來，韓信也許會把小流氓殺了。那麼韓信就會因殺人罪入獄處死，那裏還能成就後來的一番事業呢！

閱讀心得

【第58篇】

張良燒掉棧道。

項羽佔領咸陽之後，開始分封諸王，他自封爲西楚霸王，地位最高，實力也最強。封劉邦爲蜀王，僅有小小一塊地方。

劉邦心裏很不痛快，手下的將領也怒氣沖天，個個摩拳擦掌，準備去找項羽算帳。張良勸劉邦先別發作，忍耐一會兒，然後帶了金銀財寶去找項伯幫忙。

項伯的話挺管用的，項羽果然答應把漢中地方也給劉邦，改封他爲漢王，建都南鄭。

於是，劉邦率領人馬，浩浩蕩蕩向南鄭進發。走到一半，後隊的人馬喧嚷起來，原來棧道被燒斷了。劉邦不理會這件事，只一個勁兒催著：『快走！快走！』

到了南鄭後，大家聽說是張良燒掉棧道的，異口同聲的罵他混蛋，斷了回去的後路，眞沒有良心。

其實呢，這是張良的一條妙計。他這麼做有三個用意：第一、暗示項羽，劉邦沒有東歸的意思，敬請放心。第二、斷了各國進犯的通路。第三、將來兵練成了，還可利用棧道，達到另一個目的。

自韓信被任命爲大將軍後，他日夜操練兵馬，使得軍容一新，士氣旺

盛，擇定漢王元年八月出師東征。這時對外交通的棧道已燒掉了，怎麼辦呢？

韓信說：『沒關係，燒得好，我們可以明修棧道，卻暗渡陳倉。』劉邦一聽這話，恰好與張良的計謀相同，高興得鼓掌說：『英雄所見略同。』於是，派了很少的兵士假裝去修棧道，暗地裏由韓信率領三軍，悄悄從南鄭出發。

此時，正是秋高氣爽，兵士都想早日返回家鄉。所以，日夜趕路，很快的到達了陳倉。

項羽曾命令秦朝降將章邯，好好的守住漢中。因此，章邯每天都派有兵士巡邏，這一會兒，棧道有動靜了，自然馬上便有消息。章邯聽說只有幾百個兵在修棧道，很放心的說：『別緊張，棧道長著呢，燒掉很容易，要修起來卻很困難，幾百個人那裏夠？漢王既想出兵，當初又何必燒掉？眞是一個大笨瓜！』

不久，章邯又聽說漢王已命韓信爲東征將領，他沒有聽說過韓信的名字，派人去打聽。那人告訴章邯，韓信是個曾經從人家褲襠下爬過去的懦夫。章邯忍不住大笑：『這種人也配當大將？漢王眞是發神經了。也難怪他，如果不是糊塗，當初也不會燒棧道了。』章邯愈想愈好笑，笑得肚子都痛了。

到了八月，忽然有急報傳來，說是漢兵已到達陳倉，章邯還不相信。他自言自語的說：『奇怪，棧道還沒有修好，漢兵打從那兒冒了出來？莫非他們會飛不成？』這時才著急起來。

可是已經來不及了，漢兵因爲有備而來，像猛虎出柙一般，勢如潮水，人人奮勇，只管往前衝。而章邯呢？因爲以前是秦大將，本來就不孚人望，又疏於防範，交兵不久，章邯便被打得落花流水。

經過這次大仗，韓信的威名傳佈四方，劉邦的聲勢也逐漸蓋過項羽了。

閱讀心得

【第59篇】陳平的離間計。

陳平從小父母就去世了，跟著兄嫂過活。由於他喜歡念書，所以雖然家裏很窮，陳平的哥哥還是拿出錢來讓他讀書，這件事使得陳平的嫂子很不高興。

陳平生得眉清目秀，唇紅齒白，是個相當帥的少年郎。有一回，隔壁的鄰居來串門子，看到陳平就開他的玩笑：『瞧你，臉蛋白裏透紅，好像掐得出水似的，你是吃了什麼東西，把皮膚養得這麼好？』

他嫂子在一旁聽到，冷冷的說：『像我們這種人家，能吃什麼好東西，只能吃米糠。』接著，又白了陳平一眼道：『有這種小白臉的小叔子，還不如沒有來得好。』

陳平的哥哥剛好自外面回來，聽到妻子的刻薄話，氣得立刻和她離婚。陳平的心中很過意不去，心裏想，將來一定得幹出一番成績報答兄長。

他們村子裏有個富翁叫張負，張負的孫女是有名的大美人，可是命太硬，一連許配五個人家，還沒有嫁過去，男方就一命歸天了。因此，媒人不敢再上門，張負心中很著急。

恰好，附近有人辦喪事，張負去弔祭時，發現有個幫忙的小伙子，英氣逼人，又精明幹練；打聽之下，原來就是陳平。於是便把孫女許配給他，

也不在乎陳平窮得一文不名。

陳平大喜過望，娶了漂亮的妻子，又得到一大筆錢，從此便抖起來了。村子裏的人對他也另眼相看，連祭祀時分肉也推他當社宰。陳平一刀下去分得公平極了，大家都稱讚他。陳平很得意的說：『如果要我宰天下，我也會像割肉一般，分得清清楚楚，秉公辦事。』

以後，陳平投奔到項羽旗下。爲了一點小事，項羽想殺他。陳平知道了嚇得逃出來，看到一艘船，就急忙跳上去。船上幾名船員長得橫眉豎眼，不斷對陳平獰笑，想要謀財害命。陳平急中生智，自動把衣服脫下，表示一無所有，並且幫他們划船，這才撿回了一命，投奔到劉邦麾下。

劉邦知道硬碰硬是打不過項羽的，陳平就幫劉邦想了一條妙計：他先買通了人到楚營中散佈謠言，說項羽的大將范增有謀反跡象。項羽雖然一向對人猜疑，但未中計，因爲范增素來是最忠心不二的。

接著，陳平又派人去跟項羽講和，願意把滎陽東面的土地分給楚，請項羽派一個使者來商量。項羽也正想找個人去探查劉邦城中的虛實，也就答應了。

楚使到了以後，便被招待住進了最好的上房。不一會兒，看到僕人們把一盤盤山珍海味捧過去，那陣陣香味饞得楚使的口水都淌到了嘴邊，他摸著飢腸轆轆的肚子道：『等會可以大吃一頓了。』

接著陳平進來了，問起范增的近況，並且問有沒有他的信。楚使說：『我是奉楚王項羽之命而來的。』陳平忽然臉色發白，匆匆忙忙的走了。

一會兒，菜也一盤盤搬走了，有人悄聲在說：『白忙一陣，他不是范增派來的，配吃酒席嗎？』

等到天都黑了，楚使的肚子都餓扁了，才有人來招他吃飯。他滿懷欣喜的一揭開蓋子，一股腐臭味衝出，飯是餿的，酒是酸的，再嘗一口菜，『嘩啦，嘩啦』全吐出來了。楚使恨恨的說：『再吃下去，非食物中毒不可。』

楚使立刻跑回楚營，一五一十報告了項羽。項羽很生氣的說：『范增這個老傢伙，是不是活得不耐煩了？』心中疑雲大起。

其實，范增毫不知情，還跑來說：『以前鴻門宴時，我請大王殺掉劉邦，大王不肯，遺禍至今，現在再不殺就慘了。』

項羽說：『你這個混蛋，只怕我還沒有殺掉劉邦，我這條老命要死在你手上！』

范增一片忠心，落得如此下場，他傷心的離開了項羽，在返鄉中憂病而死。等項羽知道中了陳平的離間計時，後悔已經來不及了。

閱讀心得

【第60篇】眞假劉邦與娘子軍。

陳平耍了項羽一招，害他把最能幹的謀士范增趕回家鄉。范增由於受不了不白之冤，在又氣又急又傷心的情況下，病死在半路。項羽得到消息，想起范增的一片忠心，懊悔難過得要命，恨不得一脚把劉邦踏死報仇才甘心。

於是，項羽指揮大軍猛攻滎陽城，劉邦的將士們漸漸守不住，糧食眼看著也吃得差不多了。平日計謀甚多的張良和陳平，這會兒也拿不出辦法來，只有不斷的激勵士兵們苦撐下去。

劉邦的軍營裏有個將士紀信，非常忠心，願意用死來報答劉邦的知遇之恩。

紀信找了一個機會對劉邦說：『城裏頭兵少糧缺，再拖下去也只有死路一條，非想辦法衝出去不可。我想打扮成大王的模樣，假裝出門投降，你就趁這個機會逃走吧！』

劉邦說：『這樣的話，我雖然可以出去，你不是太危險了嗎？』

紀信說：『倘若不聽我的話，等城一攻破，大家一起完蛋又有什麼好處？如果照我的話做，不但你可以逃出城去，其他人也可以逃出去。我一個人的命能抵許多人的命，也很值得了。』

劉邦一時還不能決定，紀信抽出佩劍就要往脖子上抹，說：『你不忍心讓我死，那我現在就死給你看！』嚇得劉邦趕緊下來攔住紀信哭道：『你的忠貞，古今都沒有一個比得上，希望上天保佑你。』紀信這才收回劍，慢幽幽的下拜說：『我死得其所了。』

接著，劉邦便召來智多星陳平，告訴他這件事，陳平說：『紀將軍肯替你死，還有什麼話好說。不過，最好再加上一計，那才萬無一失。』陳平附在劉邦耳旁低語一番，劉邦一面點頭，一面微笑，到後來，更是大笑不已。

陳平立刻磨硯寫降書，派人出城交給項羽。

項羽看完了降書，便問：『劉邦什麼時候來投降？』

使者回答道：『就在今天晚上。』

項羽很滿意，並叫使者回去通知劉邦，不得誤約。否則，明天項羽準備屠城，殺光所有的人。

到了半夜，滎陽城的東城門打開了，放出許多人來。項羽的兵士們惟恐有詐，很緊張的準備好武器，卻聽到傳來嬌滴滴、軟綿綿的聲音：『我們都是婦女，城裏面沒得吃沒得穿，只好趁開門的時候，逃出來求生，希望各位將軍們放我們一條生路。』

項羽的士兵用火把一照，嗄！果然是女的，有的年紀很老了，也有很年輕的，只是身上都穿著軍裝，走起路來忸忸怩怩。大家覺得很奇怪，問她們爲什麼以這種打扮出現？她們說：『哎，我們可憐噢，沒有衣服穿，只有借軍人家舊的甲衣禦寒。』

聽說來了一批娘子軍，楚兵都好奇得很，圍攏過來看熱鬧，分站兩旁，好讓她們通過。見到年輕貌美的，更指指點點，品頭論足，看得不亦樂乎。

奇怪的是，她們走了一批又一批，好像永遠走不完。楚將以爲劉邦是跟在這些女子後頭出來投降，因此其他西、南、北三個方面的楚兵知道這種鮮事，也紛紛趕來一飽眼福，像看選美似的起勁。

劉邦趁著這個機會，脚底抹油，帶著將領們開了西門逃之夭夭。

婦女們走路慢，楚兵也捨不得催她們。因此到了快天亮，大家才看到漢王劉邦坐著車子出城，趕緊請項羽出來。

項羽威風八面在劉邦的車前一站，大喝道：『劉邦別裝死，見我親自出來，還想坐在裏面當木偶嗎？』說完，命左右拿著火把，將車內照個通亮，卻發現坐在車中的，不是劉邦，而是別人穿了劉邦的衣服冒充。項羽氣得跳腳：『那個混蛋，冒充劉邦？』

紀信不慌不忙的答道：『大漢將軍紀信是也。』並得意洋洋的告訴他：劉邦早就走了！項羽一氣之下，把車燒掉。捨己爲人的紀信，也就活活被燒死了。

閱讀心得

【第61篇】

講義氣的夏侯嬰。

夏侯嬰是劉邦的小同鄉，也是沛縣人，兩人從小就很要好。當劉邦擔任泗水亭亭長的時候，夏侯嬰也在沛縣當司馬，專門替縣府的官員趕馬車、送客人。

他每次送客人經過泗水亭時，一定去找劉邦聊天。兩人對喝一壺老酒，談得津津有味，往往談到太陽都快落山了，還一點也不覺得。

夏侯嬰是個很上進的年輕人，平日除了駕車外，時時不忘讀書充實自己。因此有一天，他接到命令——升爲縣吏。夏侯嬰高興得立刻駕馬車趕到泗水亭，告訴劉邦這個天大的好消息。

劉邦也很爲好朋友開心，他笑著推夏侯嬰一把道：『好小子，有你的！』由於用力過猛，竟使夏侯嬰後退幾步，撞到重物，而且還受了輕傷。

有個熱心的過路人看到了，一狀就告到縣老爺那兒，説劉邦打人。劉邦平日品行不端，早有傷人的前科，如果再以毆人獲罪，一定要判很重的刑罰，所以夏侯嬰極力爲他脱罪，使劉邦免受牢獄之災。

可是，原檢舉人不服氣，明明劉邦是打人嘛，於是又一狀再告上去。而查清楚了夏侯嬰確實有受傷，這等於説夏侯嬰是做了僞證，因而受到重罰，挨了一百大板，被關了一年牢，縣吏的官也丟了。然而，夏侯嬰始終

沒說過一句不利於劉邦的供詞，可見得此人頗有俠義風骨。

以後，劉邦起事反秦，夏侯嬰始終跟著他，每戰必勝。由於駕車是夏侯嬰的看家本領，所以也經常親自爲劉邦趕車。

彭城之役，項羽大獲全勝，劉邦落荒而逃，遠遠看到一隊兵馬，以爲是楚兵追上來了，趕緊閃到樹林裏去。等到兵馬走近，仔細一看，原來是夏侯嬰，高興得跳上了車子。

一路上，許多人民狼狽逃難。忽然間，眼尖的夏侯嬰嚷道：『咦，難民中有兩個小孩，好像是大王的孩子。』

劉邦一看，果然就是，夏侯嬰急忙停車，把一男一女抱上來。原來他們倆是跟著祖父、母親一塊兒逃命，不幸半路被衝散了；幸虧遇上了劉邦，父子都又驚又喜。

就在這時刻，大隊楚兵趕上來。

劉邦大叫：『快跑！』

於是，夏侯嬰一揮馬鞭往前奔去，眼看著楚兵快要追上了，劉邦惟恐車重走不快，狠下心就把兩個孩子推下車。夏侯嬰見了，立刻停車把他們抱回車上。

劉邦再一脚把小孩踢下去，夏侯嬰又把他們抱上來，一左一右抱著自己，像合抱一棵大樹般。劉邦氣極了，大罵夏侯嬰道：『現在是什麼時候了，難道還要管小孩嗎？這不是找死！』

夏侯嬰說：『這是你的親骨肉，怎麼可以扔掉呢？』

劉邦懊惱極了說：『你再抗命，我就殺了你。』夏侯嬰還是不理會，劉邦更氣了，拔出劍來揮了過去，夏侯嬰躲閃開來，卻發現兩個小孩又被踢下去。索性叫別人來駕車，他自己抱著兩個嚇得半死的孩兒跳上一匹馬，撿回了兩條小生命，一起逃出了楚兵的重圍。

閱讀心得

【第62篇】

眞齊王與假齊王。

話說有次韓信接到劉邦的命令，要他在趙國召募軍隊攻打齊國。韓信動身不久，酈食其覺得這是一個立功的大好時機，便去見劉邦，說自己有辦法不用一兵一卒，說動齊王投降。劉邦也答應了。

酈食其對齊王說：『現在大勢已定，天下歸漢，名正言順，如今各地諸侯紛紛歸附劉邦，你呢？有沒有什麼打算？』

齊王想想，既不可能一霸天下，還不如趁早投降，免得日後危險。於是問道：『如果我投降，漢兵還來不來？』

酈食其一面搖頭一面說：『絕不會來，你放心吧！』說完，立刻寫了封信給韓信，叫他停止用兵。齊國也就正式撤防，齊王天天陪著酈食其喝酒，日子過得很快樂。

韓信手下的參謀蒯徹跟韓信說：『你帶兵打了一年多，才平趙國五十多城，而酈食其張張口，就下了齊國七十多城，你再不趁齊國邊防空虛時進攻，還待何時？』

韓信說：『我一出兵，酈食其的老命不就丟了？』

蒯徹笑道：『他啊？活該！漢王本來是教你去打齊國的，他幹什麼要去搶功勞？』

韓信本也是個貪功之人，聽了這話，點齊人馬，一會兒工夫便殺進齊國，齊兵莫名其妙吃了個大敗仗。

齊王正與酈食其對飲下棋，聽到消息，氣得燒滾了一鍋油，把酈食其丟進鍋內活活炸死。然後，派人去求項羽幫忙。

但是項羽的軍隊也不是韓信的對手，三兩下就被打得落花流水。

韓信平定齊地後，志得意滿，想當齊王，派人稟告劉邦，要求給他假齊王的封號。（『假』是代理的意思，假齊王就是代理齊王。）

看到韓信的使者，劉邦很生氣地說：『我困守廣武，日日夜夜盼他來幫忙，他老不下來，居然還想做齊王？』

這時候，張良、陳平在一旁趕緊使眼色，又用力踩了一下漢王的脚。

張良湊在劉邦耳旁說：『現在大局不好，軍隊大權又都握在韓信手中，你禁止韓信稱王，莫非想逼他造反？不如順了他吧！』

劉邦馬上會意過來，依然繃著臉對韓信的使者說：『幹什麼做假王，要做就做眞王！』接著，命令張良去齊國，爽快的封韓信爲齊王。

韓信央求當假齊王，沒有料到竟當上了眞齊王，對劉邦感激得五體投地。因此，張良勸他攻打楚國（項羽），他就滿口答應了。

此時，楚使者來求見韓信，希望他聯楚攻漢，否則就保持中立，三分天下。以韓信的實力，不論劉邦、項羽，都得讓他三分。

韓信不願意，他說：『以前我在項羽手下，他一直瞧不起我；劉邦待我恩重如山，我不能背棄主人。』

蒯徹則勸韓信不妨多考慮，因爲『劉邦爲人與勾踐一般，可與共患難，不可共富貴；文種爲越王立了大功勞，結果仍被殺。狡兎死，走狗烹，是千古不移的道理，你要爲自己留個後步。』

韓信始終不忍心背叛，蒯徹恐怕日後遭禍，假裝發瘋，離開了韓信。

閱讀心得

【第63篇】虞美人。

楚漢相爭的最後一個故事，也是歷史上大大有名的『霸王別姬』。項羽有一個寵姬——虞氏，長得非常美麗，而且知書達禮，溫柔體貼。項羽不管到那兒都帶著她，就連出兵打仗也不例外。

這天，虞姬在軍營中等候項羽，同時在廚房張羅酒菜準備爲他慶功。忽然間項羽進來了，神色匆忙，滿臉疲憊。項羽平日都是大笑大叫、志得意滿的神氣。虞姬從沒有看過項羽這樣頹喪過，扶他坐下來，才問：『怎麼一回事？』

項羽萬分懊喪的說：『敗了，敗了！』眼眶中飽漲著淚水。

虞姬安慰他說：『勝敗是兵家常事，你也不要太難過了。』

項羽說：『我眞是從來沒見過這種惡仗。』

原來，項羽輕敵，中了韓信的計，遭到十面埋伏，在垓下一地吃了一個大敗仗。手下的十萬楚兵，被打死了三、四萬，逃散了三、四萬，只剩下兩、三萬殘兵，狼狽逃回營中。

面對著滿桌酒菜，項羽那裏嚥得下去？又不忍心拂卻虞姬的情意，就坐下來，一杯一杯喝著悶酒。

喝了三、五杯之後，有個兵士進來報告：『漢兵已圍住營寨了。』項

羽不想再煩這件事，擺手道：『小心堅守，明天再決一死戰。』項羽越喝越愁，越愁越睏，睡眼模糊，頭昏腦脹。虞姬便伺候他睡下，自己在榻旁陪著。

她一會兒聽見『達、達……』的車馬聲，一會兒聽見『呼、呼……』的風聲。接著又有一片歌聲傳進來，一聲高，一聲低，一聲長，一聲短，如怨如慕，如泣如訴，悲涼極了。

虞姬回頭看項羽，早已鼾聲如雷，這歌聲打從那兒來的呢？原來張良編了一曲楚歌，教兵士在軍營附近唱，句句悲哀，字字悽慘。楚兵們聽到家鄉的歌曲，想到年邁的雙親，遠隔的妻兒，心酸酸的。到後來，竟一個一個散去，連跟著項羽將近十年的鍾離昧、季布等人及項羽的叔父——項伯也都溜了，只剩下八百個親兵還守在項羽門外。

項羽大夢初醒，聽到四面楚歌，奇怪的走出帳外細聽，發現歌聲起自漢營，更是驚奇無比。這時士兵前來報告：『只剩下八百親兵。』項羽大感驚異！『一個晚上竟有這麼大的變化！』回身進帳，看見虞姬已哭得像個淚人兒，也不由得淚珠滾滾而下。

他吩咐廚房重新燙酒後，與虞姬共飲數杯，隨口唱道：

力拔山兮氣蓋世！時不利兮騅不逝！
騅不逝兮可奈何！虞兮虞兮奈若何！

項羽生平最愛的，一是青騅馬，一是虞姬。這次兵圍垓下，英雄末路，最捨不得這兩樣。

虞姬也跟著唱了一首：

漢兵已略地，四面楚歌聲。
大王意氣盡，賤妾何聊生？

唱完，兩人抱頭痛哭，在旁的傭人也為之鼻酸！最後項羽說：『你這麼嬌弱，怎能跟我衝出重圍？我看你不妨自找生路，我要與你永別了。』

虞姬突然起立，豎起雙眉：『我死也要跟著你，望大王多保重。』接著拔劍自刎，項羽泣不成聲。後代文學家爲了憑弔虞姬，特別把她譜進詞曲，曲名『虞美人』。

項羽葬了虞姬，率八百親兵在拂曉逃出，等他匆匆趕到淮水邊，只剩下一、兩百人。這時前有岔路，項羽便問路旁老農：『那兒可到彭城？』老農恨項羽殘暴，故意指引了他一條錯路。

等項羽發現受騙再轉回頭時，這一耽誤，便被漢兵追上。四面的金鼓聲、吶喊聲，愈逼愈近，而剩下的僅有二十八人。

項羽知道逃走很難了，便率二十八個人擺成圓陣，對騎兵們說：『我領兵八年，轉戰七十多回，從來沒打敗仗。今日是天要亡我，但是我要你們知道我能戰。』他把二十八人分爲四隊，教他們從四面衝下山去，週而復始，自山上殺下九回，漢兵一見便逃散，證明了他確能打仗。

最後，他衝到了烏江邊，烏江亭長對項羽道：『江東雖小，仍有千里，足可稱王，現在只有這一條船了，你趕緊過江吧。』

項羽悽慘的笑道：『天要亡我，何必再渡江？我與江東子弟八千過江西征，現無一人東還，我有何面目再見江東父老？』說完，便把青騅馬送給亭長，表示謝意。

漢兵趕到，項羽又連殺數十人。最後，他見到一個舊識的呂馬僮道：『聽說能得我頭者，漢王將賞千金，封萬戶侯，我賣你這個情面吧。』說完，自殺而死。漢兵紛紛上去搶屍體，甚至自相殘殺。一代霸王，死時才三十一歲。

項羽死後，劉邦統一天下，建立漢朝，中國的歷史也走進了另一番新氣象。

閱讀心得

【第64篇】田橫與五百義士。

自從劉邦打敗了項羽，登上了帝位，定都長安，國號漢，就是漢高祖，成爲中國歷史上的第一位出身平民的皇帝。他雖然統一了全國，依舊有人不服氣，不願意擁戴他爲皇帝。其中之一，便是——田橫。

楚漢相爭之時，田橫是齊國的相，後來，齊國被漢將韓信攻破，齊王死，田橫便自立爲齊王，繼續與漢軍作戰。

不久，田橫被漢將灌嬰打敗，田橫便逃到河南開封，依附彭越。當時彭越既不歸順項羽，也不聽命劉邦，保持中立的姿態。過了一年多，項羽失敗，在烏江自殺，劉邦做了皇帝，任命彭越爲梁王。田橫眼見彭越已歸順漢朝，心裏害怕漢高祖會殺他，彭越已經不能保護他，因此，便偷偷溜到東海的一個島中。

漢高祖知道了這件事，心中很憂慮，害怕田橫會造反，派人去勸他投降，使者到了島上，把漢高祖的信交給田橫，表示赦免田橫的罪。

田橫看完信，對使者說：『以前酈食其到齊國來勸降，齊王答應了，沒想到後來韓信又攻打過來，我建議把酈食其丟到鍋中炸死。如今聽說酈食其的弟弟酈商，在漢高祖手下當大將軍，他一定會爲哥哥報仇。因此，我不能接受你的好意，請皇上准許我在海島上做一個老百姓吧。』

使者回去把這番話轉告了漢高祖。

漢高祖說：『過去的事，不要再算老帳，田橫也未免太多慮了。』接著，漢高祖立刻把酈商找了來，對他說：『田橫要來了，你如果私下陷害他，當心我滅你的族。』

酈商心裡很不服氣，但也不敢辯駁，只好悶聲不響的告退。

漢高祖又派使者到了田橫那兒，告訴他不必害怕，並且說：『你到了洛陽，大者可封王，小者可封侯。若要存心抗命，皇上現在就可派兵打你。』

田橫不再說什麼，帶了兩個隨行，跟著使者，航海登岸，乘驛車前往洛陽，快到目的地時，田橫對隨行說：『我和劉邦一樣，也曾南面稱王，現在成了亡虜，要跪在地上喊他皇帝，豈不可恥？況且我曾烹酈商的哥哥，就算他畏懼皇帝的命令，不敢對我報仇，我心中能不慚愧嗎？漢朝皇帝堅持要見我，無非是想看一看我的面貌，現在皇帝就近在洛陽，你們割下我的腦袋，即刻送往洛陽，我的面貌大概還不會怎麼改變。』

在門外的使者聽到哭聲進來一看，看到兩個隨行正伏在田橫的屍體上痛哭，很是懊惱，卻也沒法子挽救。

當田橫的腦袋捧到漢高祖面前時，面目如生，漢高祖連連嘆道：『可惜，可惜。』並且封兩個隨行爲都尉，然而他們的心裡一直鬱鬱不樂。

漢高祖派了兩千人爲田橫修築墳墓，收殮田橫的屍體，吩咐把頭和屍體縫起來，用王禮安葬。田橫手下的兩個隨行送殯到墳後，大哭一場，就在墳墓旁邊刨了兩個坑，然後拔劍自殺在坑中。高祖聽了大吃一驚，派人安葬這兩個人。

『田橫死了，他手下兩個人也自殺了。眞是奇怪，海島上還有五百個人，如果都像這樣，那還了得嗎？』漢高祖愈想愈著急，趕緊派人到海島去造謠，說田橫已當了官，請大家都去享福。

島上的五百人以爲是眞的，一塊兒到了洛陽，才曉得田橫等三人都自殺了，大家集在田橫墳墓旁邊，一面哭一面拜，並且合唱了一曲薤露歌，唱完以後集體自殺。

薤露的意思是，人生像薤上的露珠，很容易便消逝。這首哀怨動人的歌流傳千古，後代人稱爲輓歌，在葬禮中演唱，也是爲了紀念五百義士的忠勇精神。

閱讀心得

【第65篇】

兎死狗烹。

漢高祖劉邦曾說過：『率領百萬大軍，戰必勝、攻必克的本領，我不如韓信。』漢朝建立以後，韓信的下場如何呢？

話說漢高祖統一天下之後，過了六年，有一年，他忽然想起項羽手下有個大將軍，名叫鍾離昧的，到現在還沒找著，很教人憂慮，立刻下令通緝。

不久，有人通風報信，說是鍾離昧窩藏在韓信的家裡。漢高祖對韓信早有戒心，聽到這個消息，好像背上長了一根刺，坐立難安，立刻派人通知韓信把鍾離眛將軍交出來。

鍾離眛和韓信一樣，都是楚國人，項羽敗亡後，走投無路，不得已投靠韓信。韓信顧念舊情，也就把他收留下來。如今，漢高祖要他交出鍾離眛，韓信考慮再三，終究不忍心，推說沒有這回事。

漢高祖自然不相信，派人來探虛實。結果發現韓信每回外出，前後護衛有三、五千人，聲勢烜赫，大有凌駕帝王之勢，使得漢高祖更加確定韓信想要造反。

當時，韓信受封爲楚王，封地是在今日的湖北南部一帶。足智多謀的陳平建議漢高祖以到雲夢（今湖北的武漢三鎮附近）去巡狩爲名，在楚國

大會諸侯，乘機削奪韓信的兵權，漢高祖同意陳平的計謀。

韓信接到諸侯會集的命令，心知不妙。因此，難免對鍾離眛的臉色也變得很難看。鍾離眛很憤怒的對韓信說：『你是個反覆無常的小人，我眞瞎了眼睛才投靠你！』說完便自殺了。

韓信雖然把鍾離眛的腦袋交出，漢高祖還是把他降爲淮陰侯，送到京城長安，一切生活都加以監視。韓信嘆了一口氣道：『有人說，兔子逮著了，獵人便把獵狗煮了吃；鳥被射光了，獵人也就把良弓收藏起來；敵國被消滅了，功臣也免不了被殺。現在天下已定，看來我也該死了。』（原文是『狡兔死，走狗烹，高鳥盡，良弓藏，敵國破，謀臣亡，天下已定，我固當烹。』）

從此，韓信怏怏不樂，時時託病不上朝。有一年，北方的代國丞相陳豨造反，漢高祖親自帶兵去討伐，也不用韓信爲大將，表示對韓信越來越不放心。

出發前有一天，漢高祖與韓信談論將官們才幹時，漢高祖忽然問：『你看我可領多少兵馬？』韓信說：『最多不超過十萬。』

漢高祖問：『你呢？』韓信答：『愈多愈好。』

漢高祖笑道：『既然如此，你爲什麼做我的部下？』

韓信說：『你雖不會帶兵，但卻能指揮將領。』

漢高祖不再說什麼，但對韓信又添了一層疑懼。

在漢高祖領兵到北方打仗期間，國事由呂后掌管。

韓信和陳豨是老朋友，他倆與幾個家人商量，準備發動京城裏的奴隸，去襲擊呂后和太子。韓信的計謀大致決定，不巧發生了一個意外。原來，韓信家裏的一個小吏得罪了韓信，韓信要把小吏關起來處死，小吏的弟弟知道了，爲了救哥哥，立刻跑到宮裏，去向呂后報告韓信謀反的計畫。

呂后得到了密報，不敢輕舉妄動，因爲她不知道韓信發動了多少人馬。於是召蕭何入宮密商。呂后與蕭何就設下一個圈套。

第二天清晨，蕭何暗中派了一個人，騎了一匹快馬從城外飛奔回長安，這個人僞裝是漢高祖從前線派來的，帶來一個消息：『陳豨已被殺。』這個假消息立刻傳佈開來，蕭何立刻召集在長安的羣臣，入宮向呂后致賀。

蕭何特別跑到韓信家裏，告訴韓信這個消息，並且強拉韓信一同入宮。

蕭何和韓信一同到了長樂宮，埋伏在宮內的數十名武士一擁而上，立刻把赤手空拳的韓信捉住，並且就地斬首。

本書前面，我們曾說到韓信是靠蕭何才發跡的；現在卻又是蕭何把他送到西天去的。所以後人嘆道：『成也蕭何，敗也蕭何。』就是指成敗都因一人而造成。

閱讀心得

【第66篇】

冒頓單于的鳴鏑。

秦末中國大亂，楚漢相爭，匈奴的曠世雄主冒頓單于乘機崛起。他的崛起，中間有一段曲折的故事：

冒頓單于是頭曼單于的太子，由於頭曼單于另有新歡，也生下了一個兒子，他很想把冒頓太子廢了，立小兒子爲太子。但是又找不到藉口，於是，頭曼單于派遣冒頓爲匈奴駐祁連山區的大月氏的代表。其實，就是當人質。

不久，頭曼單于率領大軍攻打大月氏，他滿以爲大月氏一定會把冒頓殺了，完成借刀殺人的計謀。沒有料到冒頓機伶得很，偷了一匹大月氏的快馬，不分晝夜的趕回匈奴。

頭曼單于看到冒頓竟然溜回來了，心中暗暗叫苦，表面上還是稱讚他勇敢，並且派他擔任一萬騎兵的指揮官。冒頓心裡明白父親的計謀，卻假裝不知情。

冒頓是個工於心計陰狠的人，他養了一批聽命的死黨，又設計了一種射出去有『嗚嗚』聲響的箭，叫作鳴鏑。冒頓告訴部下說：『打獵的時候，鳴鏑所射的方向，大家都得照著射，哪個不射，就砍他的腦袋。』

爲了訓練部下，冒頓有一天把自己心愛的寶馬牽出，自己用鳴鏑射馬，

左右也紛紛競射，冒頓很高興，大大獎勵一番。又一回，他看見自己的姨太太走出來，竟然也拔箭就射，有些部下以爲冒頓一時喪心病狂，沒有動手，這些人的腦袋立刻搬家了。從此，部下被訓練成了機械式反應，只要鳴鏑一響，莫不追隨目標接連放箭，不管那目標是什麼。

有一天，頭曼單于出外打獵，冒頓尾隨在後，忽然他把鳴鏑向頭曼射去，冒頓的部下隨著一起射箭，頃刻間，頭曼單于全身插滿了箭，像隻刺蝟一般，就這樣糊裡糊塗的死了。冒頓隨即搶奪了單于的王位。

在漢高祖七年（西元前二〇〇年）時，冒頓單于進攻太原，劉邦親率三十萬大軍迎戰，到了平城（山西大同），因爲輕敵被困了七天，一籌莫展。漢兵耐不住寒冷，個個凍得皮開肉裂手縮脚僵，甚至連手指頭都因爲太冷而斷了，困在白登山動彈不得。

幸好，智多星陳平及時獻上一計：

他派了一個有膽識的使者，帶著金銀財寶和一幅圖畫，到了匈奴的兵營，只說要見單于皇后——閼氏。

閼氏看到光閃閃的黃金，亮晃晃的珍珠，非常的歡喜，趕緊收下了。一抬頭，看見一幅畫，畫的是一個美人兒，心中起了妒意：『這是誰？』

漢使回答道：『漢帝為單于所困，願意罷兵修好，所以派我送上金銀財寶，又準備把國中第一美人獻給單于，不久即可送來。』

閼氏酸溜溜的瞪著畫上的美人說：『這倒不必了，你把畫帶回去。』

漢使說：『漢帝也捨不得把美女送給人，如果你肯幫忙，那還有什麼話說？』

閼氏不耐煩的說：『我知道了，你放心吧。』

送走漢使後，閼氏立刻一把眼淚一把鼻涕的跑去找冒頓說：『漢朝皇帝剛即位不久，我聽說漢朝皇帝是眞命天子，他能做皇帝是天意，你如果捉住漢天子殺掉，便是違背天意，恐怕老天爺會譴責你。你如果捉住漢天子不殺，那麼，匈奴各部又一定會責怪你。』

冒頓問：『你看，該怎麼辦呢？』

閼氏說：『依我看，放走漢天子算了。』

冒頓單于原先約定其他匈奴同來平城，那兩部遲遲未到，冒頓單于正懷疑那兩部是否和漢朝勾結，所以，內心也有些不安。聽了閼氏的話，便同意放鬆白登山的包圍圈，讓漢高祖從一條縫隙之中衝出去。

就這樣，靠著陳平的奇計，漢高祖狼狽的逃回來，從此再也不敢出兵打匈奴，而漢朝的邊境也就從此不安寧了。

閱讀心得

【第67篇】蕭何費盡心機保住性命。

蕭何和漢高祖是同鄉，高祖打進咸陽的時候，蕭何搜集了大量的秦朝圖籍檔案，把秦朝的土地、户口調查得一清二楚。漢高祖能打敗項羽，蕭何的功居第一，因此在天下統一、大封功臣的時候，蕭何官拜丞相，被封爲酇侯，在列侯中佔第一位。

蕭何幫助呂后設計除掉韓信以後，他的功勞更大了，漢高祖再加封蕭何五千户，得養衛士五百人，並尊爲相國。（相國就是丞相，給與相國的名號是表示特別崇敬。）

他認爲自己勞苦功高，理該如此，也並不辭謝。當大家都來向蕭何祝賀時，只有一個手下叫召平的，對他說：『你恐怕要惹禍上身了。』召平接著解釋道：『你別看皇上表面看重你，其實已經在懷疑你了。你想想看，連韓信到頭來都免不了一死啊……』

蕭何聽了，怕得發抖，堅持不肯接受加封，並且把錢捐出來充作軍餉。漢高祖知道了蕭何的做法，對他很是誇獎。

不久，漢高祖領兵去攻打英布，蕭何派人運輸軍糧，漢高祖老愛問押運軍糧的人說：『蕭何最近怎麼樣啊？做了什麼事啊？』押運軍糧的人回答說：『蕭何勤政愛民，常常撫慰百姓。』漢高祖聽了，皺皺眉頭不吭聲。

押糧的人回來報告，蕭何也沒有在意。有一次，無意間和朋友談起，那個朋友立刻對蕭何警告：『你一家大小不久以後都要完蛋了。』

蕭何聽了這話呆住了，搞不清楚爲什麼。

這個朋友繼續說：『你已經做到宰相，沒法再升上去。皇上經常問你在做什麼，是害怕你太得民心，逮住機會起來造反。你最好多收買些田地，強迫老百姓以最便宜的價錢賣給你，這樣老百姓一定恨透了你，你得不到百姓的愛戴，皇上才會放心的。』蕭何聽了深感有道理，於是假裝出很貪婪的樣子，到處去搜刮民田。

蕭何仗勢強佔民田，自然引起老百姓的抱怨，有幾千人聯名上書告發蕭何的罪狀。

漢高祖得勝回來，就得到老百姓的告狀，他親自責問蕭何，要他自己向百姓謝罪，並且把蕭何關進了監獄。

有個朋友到監獄去探望蕭何，很為蕭何擔心，蕭何卻輕鬆的說：『不要為我擔心，要為我慶賀，因為我逃過了被殺的一關啊！』

其實，漢高祖對蕭何強佔民田的事很高興，因為這是蕭何自毀形象，老百姓不會擁護蕭何了，縱使蕭何造反，也不會有人追隨他，不久，漢高祖對蕭何猜忌恐懼之心便減低了。於是，漢高祖命人把蕭何從監獄中召來。

『我想不通，你為什麼要強佔老百姓的田地？』漢高祖在試探蕭何。

蕭何跪在地上，低下頭說：『老臣年紀大了，兒孫都沒有什麼本事，我想多留一點遺產給兒孫，以免他們將來凍餓。』

聽了蕭何的解釋，漢高祖心中大樂，原來蕭何的志氣如此小，只想留些田地給兒孫，這種人是一定不會造反的，不必提防了，於是，漢高祖裝成很慈祥的樣子說：『你不要強佔民田，我會給你一些土地的，你回家去休養幾天，然後繼續上班，還是做你的丞相吧！』

蕭何立刻千謝萬謝，高興得回家去了。

到了蕭何臨終時，惠帝去看他（這時高祖已死），問他：『誰可以繼你爲丞相？』

蕭何知道言多必失，故意說：『我想你一定清楚。』

漢惠帝想起了高祖的遺囑問道：『曹參可以嗎？』

蕭何在病榻上叩頭說：『你的眼光很對。』說完話含笑而死。他處處提防，用盡心機應付皇上，才能保得住一條老命。

閱讀心得

【第68篇】奇恥大辱的和親政策。

漢高祖被匈奴圍困在平城三天，靠著陳平用美人圖畫騙了冒頓的皇后，才撿回一條老命。

漢高祖心有餘悸的回到了長安，才過了沒幾天，一連接到了北方的好幾件快報，說是匈奴又來攻打邊境了。

漢高祖因爲曉得匈奴冒頓的厲害，心裡著急得不得了，找到幾個大臣前來商量對策，卻都束手無策，有個叫劉敬的大臣開了口：『現在天下剛剛安定下來，再要大動干戈遠征，恐怕不是容易的事，看來匈奴不是用武力可以征服的！』

『那莫非要用仁義感化嗎？』漢高祖急忙追問。

劉敬說：『當然不是，冒頓心比豺狼，您忘了嗎？他能用鳴鏑詭計殺害自己的父親，哪裡吃仁義這一套。我倒有一個方法，就怕您不肯。』

漢高祖說：『只要能使匈奴臣服，我是什麼都肯幹。』

劉敬便說：『那就好，我的意思是把陛下的公主嫁給冒頓單于，立爲冒頓的閼氏，他一定很感激陛下。等公主生了小孩立爲太子，這樣，便成爲陛下的外孫，天下哪有外孫來攻打外祖父的？我們再每年送些寶貝珍玩去，不怕匈奴不服。』

漢高祖一拍大腿，興奮地説：『這個計謀很不錯，有什麼捨不得的。』

接著，進入後宮找呂后商量。

呂后聽了立刻破口大罵：『我只生一兒一女相依終生，你竟然要把我的寶貝送到番邦吃苦受罪，這絕不可以。況且女兒已經訂了親，你做皇帝的，講話可以不算數嗎？』

不久，呂后偷偷把公主嫁掉了。漢高祖知道了，大爲不悅，但是也無可奈何。只好找了一個宗室的女孩，冒充公主外嫁番邦，保住了一時的安寧。

除了匈奴之外，漢朝也把幾位假公主嫁給其他外族的酋長，以求維持友好邦交。這一種用嫁公主來換取友好關係的辦法，稱爲『和親政策』，這種和親政策從漢高祖開始，漢朝一直採用下去。

外族酋長娶到公主當然很高興，不但得到漂亮的妻子，而且有大量的陪嫁珍寶，可說是人財兩得，但是，對漢朝而言，既賠了夫人（公主），又賠了錢（嫁妝），實在不划算，所以，和親政策是很羞辱的。

劉敬對漢高祖說：『當心有一天冒頓發現就不好了，陛下還是要多注意邊防，不能疏忽。』

漢高祖也認爲劉敬講得有道理，但是國家建國不久，基礎不夠，況且人都有惰性的，能暫時逃避現實就逃避一陣吧，也就不去管他。

平平安安過了幾年以後，高祖過世，冒頓打聽到惠帝軟弱，呂后掌權，存心藐視漢室，寫了一封歷史上有名的『國書』送給太后。

上面寫著：『我生於沮澤之中，長於平野牛馬之城，幾次到邊境，想到中國去玩一玩。你死了丈夫，我的妻子最近也死了，兩個君主都悶悶不樂，非常寂寞，願意以我有的，換取你沒有的。』

呂后看了，眼冒金星，當場把國書丟到地上，召集文武百官，準備把來使斬首，馬上出兵算帳。

這種侮辱國家元首的信，在今天也一定會掀起戰爭的。但是漢朝的國勢衰弱，憑什麼跟人家打仗呢？

最後，只有發揮『忍』的功夫，假裝看不懂冒頓單于書信的意思，呂后寫了一封信回單于：『承蒙單于看得起我，我真是既感激又恐懼。你們所有的是馬，我們所有的是車，我願意送你幾輛車，配合你的馬。』又拿了許多金銀財寶叫使者送回去，並且挑了一個倒楣的宮女嫁過去。

閱讀心得

【第69篇】

呂后嚇傻了自己的兒子。

呂后是漢高祖劉邦的皇后，漢高祖平定天下之後，這時的呂后年老色衰，而且性情剛烈，脾氣暴躁，漸漸得不到高祖的寵愛了。

碰巧這時的漢高祖，找到一位新的妃子——戚姬，不但年輕貌美，同時知書達禮，歌唱得動聽，舞姿也特別曼妙，很得漢高祖的歡心。

戚姬爲漢高祖生了一個兒子，名叫如意，封爲趙王，非常聰明，漢高祖很疼他；也很想用如意代替呂后所生的劉盈爲太子，漢高祖認爲太子盈太過軟弱，將來不能做個好皇帝。然而，朝廷的群臣都反對無緣無故更換太子，此事只好作罷。呂后固然鬆了一口氣，從此對戚姬更加憤恨。

戚姬知道更換太子不成的事後，哭得眼淚汪汪，她一邊抹淚一邊哽咽的說：『我並不是一定想這麼做，完全是因爲我們母子的性命都捏在皇后的手裡。』

漢高祖也很難過，他安慰戚姬：『朝臣全都反對，就是勉強更換太子，對如意更加危險，我慢慢再想辦法，絕不會讓你吃虧。』

事實上，漢高祖也想不出什麼妥當的辦法，煩悶的時候，兩人抱頭痛哭，雖然貴爲皇帝，有許多事情也沒有辦法控制啊。當他在世時，呂后當然不敢怎麼樣，可是一旦漢高祖歸天了，呂后豈能放過戚姬？

不久，漢高祖死了，太子盈即位，是爲漢惠帝。呂后當然做了太后，惠帝軟弱無能，政治大權都操在呂太后手裡。

漢高祖剛過世不久，呂后立刻派人把戚姬漂亮的滿頭烏髮拔光，穿上囚犯穿的紅色囚衣，把她關在一個小房間裡，強迫她舂米。嬌滴滴的戚姬，哪裡吃得了這種苦，她一面舂米，一面哭著，並且唱道：『子爲王，母爲虜，終日舂，薄暮（傍晚）常千里，誰當使告汝。』

意思是說，希望她遠在趙國的如意，能知道母親正在遭受折磨。

戚姬自艾自怨的低唱傳到了呂后耳裡，呂后大爲不高興，她冷笑道：『這死人還想靠兒子嗎？呸！』於是，用計把趙王如意騙到了京城。

漢惠帝心腸好，性情仁厚，和呂后大不相同，看見戚姬日夜舂米受苦，非常同情。心裡想，趙王如意到了京城，還有命嗎？因此，惠帝不等呂后的命令，親自乘車到郊外接這同父異母的弟弟。

呂后看到了趙王，恨不得立刻下個命令：『推出去斬了！』但是礙於惠帝在旁，不便當場發作，只好等機會再下毒手。

到了惠帝元年十二月有一天，惠帝早上起來想去打獵，看到如意睡得正甜，嘴旁還有一絲笑意，想來正在做好夢。惠帝不忍心叫醒弟弟，一個人獨自去了。回來一看，如意已死在床上。

惠帝抱著屍體哭得天昏地暗，有人說是被勒死的，也有人說是被灌了毒藥。惠帝心裡有數，這幕後主使人正是母后，所以也不能調查追究。

呂后爲了要惠帝曉得自己的厲害，有一天，她派一個太監帶惠帝去看人彘。太監領他到廁所一看，哇！好恐怖！只見一個人的身體，沒有手，沒有腳，眼睛裡也沒有眼珠，剩下兩個血肉模糊的黑窟窿，身子還能動，嘴張得大大的，卻發不出聲音。

惠帝看了，嚇得用手蒙住眼睛縮回來，他問太監：『這是什麼？』原來是戚姬被呂后斬掉了手腳，挑出了眼珠，薰聾了耳朵，用藥弄啞了喉嚨以後丟進廁所的半死的軀體，就是所謂的『人彘』。（彘，豬的別名。）

惠帝不禁失聲叫道：『好一位狠心的母后！』說完，淚珠點點滴下，默默走入臥房，躺在床上。從此不吃不睡，又哭又笑，後來吃了許多藥才清醒過來。從此，惠帝的身體一天比一天虛弱。呂后很後悔派人帶他看人彘，但她對害死戚姬母子的事，認爲是理所當然，因此後世的人都罵呂后陰狠。

閱讀心得

【第70篇】

『蕭規曹隨』的由來。

漢朝初年蕭何爲相，他在臨死以前，推薦曹參繼任爲丞相。

曹參和蕭何一般，同樣是漢高祖劉邦在沛縣的老幹部，作戰很英勇，曾經受傷七十多次。因此，在漢高祖平定天下以後，許多將領都以爲曹參該居功首位，但是漢高祖卻把蕭何的位置排在曹參上面。曹參心裡酸溜溜的，很不是味道，極不情願的去當齊相。

他聽到蕭何去世的消息，立刻教手下人收拾行李，訂做新衣。手下人問他要去哪裡，他自信的說：『我要到京城當丞相去了。』

手下人都不相信，因爲人人都知道蕭何與曹參不合，但也不敢不爲他準備。果然過了不久，朝廷派使者來了，大家都很驚異曹參料事如神，同時也爲蕭何顧全大局，不計較個人恩怨而讚美不已。

曹參當初爲齊相時，就把齊國治理得井井有條，他還曾特別召集齊國一百多位儒生，詢問他們對治理政事的看法，結果各說各話，叫他大傷腦筋。

後來聽說在膠西地方，有個叫蓋公的老先生，學問很好，曹參差人備了一份厚禮去請蓋公。蓋公平日專門研究黃帝、老子的思想，他認爲治國要採用黃老學說，以清靜無爲，不擾百姓爲原則。

曹參非常佩服蓋公，把家中的正房大廳讓給蓋公住，自己退到一旁的廂房，任何大事都找蓋公商量。果然，他做了九年的齊相，個個都誇他是賢相。這會兒他接任全國之相，也依舊準備採用黃老治術。

當時朝臣們都惶惶不安，在他們看來，蕭何、曹參既有前怨，曹參一上任，一定會有人事上的大變動，換上一些他自己的心腹。沒有想到曹參上任後，一點兒也沒有更動，而且還張貼佈告說：『一切概照前相國舊事辦理。』朝臣們看了都寬心不少，紛紛讚揚曹參的度量大。

過了不久，曹參把一些歡喜惹是生非的人免職，調派老成持重，不喜多言的人擔任，他自己則一天到晚喝酒作樂不理政事。

有幾個部下看不順眼，想提出建議，曹參便拉著他們喝酒，把他們灌醉，一提到政治，他就巧妙的閃開話題，不肯再談下去，久而久之，朝臣們也學他的樣兒，成天飲酒作樂，喝得醉了，又跳又唱，嘻嘻哈哈的。從此，丞相府的後花園時時傳出陣陣的酒香。曹參非但不禁止，還帶頭喝酒。

漢惠帝曉得了這件事，當然氣得不得了。他正因爲母親呂后干涉過多，凡事不能做主而悶悶不樂，便對曹參的兒子曹窋說：『你父親天天喝酒，是不是故意諷刺我這個做皇帝的無能，天天只曉得喝酒。你問問你父親看？他成天半醉半醒的，如何處理國家大事？可別說是我要你去問的。』

曹窋問了曹參之後，曹參大發雷霆，拿起板子便狠狠打了他兩百大板說：『你曉得什麼？要你多嘴。』

曹窋挨打了，立刻跑去報告漢惠帝，惠帝第二天便問曹參：『你爲什麼要打曹窋，是我叫他去問你的。』

曹參跪在地上一再謝罪，然後仰起臉問：『陛下自覺比得上先帝（漢高祖）嗎？』

漢惠帝說：『我哪兒敢比？』

曹參又問：『陛下看我比蕭何如何？』

漢惠帝說：『你似乎差遠了！』曹參接著說：『既然如此！我們只要依照前人的規模去做便可以了，何必想其他的花樣。』漢惠帝這才了解曹參的用心。

一個有爲的政府，絕不可存著『多做多錯，少做少錯，不做不錯』的消極態度，正如一個有出息的人也要時時求進步。然而，漢初人民久經戰亂，很想過平安無事的生活，只要政府不找麻煩，便千謝萬謝感恩不盡了。所以，曹參當了三年丞相，沒有絲毫建樹，民眾卻很稱讚他，這就是成語『蕭規曹隨』的出典，但卻不是做事應有的態度。

閱讀心得

【第71篇】

傑出的外交家——陸賈。

陸賈是西漢時代的外交家，也是一個大思想家。

陸賈是楚國人，他是漢高祖劉邦手下一名年輕的將官。漢朝建立不久，南越王趙佗起兵作亂。由於老百姓連年苦於戰亂，劉邦不想再出兵，派遣陸賈到南越去談判。

南越王趙佗原本是河北眞定人，擔任南海郡的龍川令，趁著秦末中國大亂，趙佗造反，併吞了桂林郡、象郡，自立爲南越武王，囂張得不得了。

趙佗對漢使陸賈的到來，雖然沒有公開拒絕，卻也不多加理睬。他大模大樣的坐在堂上，頭上不戴冠，身上不繫腰帶，叉開兩隻腳，像個粗人般怒視著陸賈。

陸賈也不跟他行禮，劈頭便罵道：『你本來是中國人，祖先的墳墓都還埋在眞定。現在你竟然昧了良心，丟下了上國衣冠，還想拿小小的南越與大漢天子爲敵，我看你啊，要大禍臨頭了。』

他一邊說，一邊搖著頭，表示不屑的態度，絲毫無畏於趙佗身旁一個個殺氣騰騰的侍衛，而且越罵越有勁：『你想想看，皇帝在五年之間，剷平天下，完全是老天幫忙，你小子自不量力，還自稱爲南越王，皇上一火起來，一定派人挖你的祖墳，殺盡你的親族好友，再派十萬大軍鎭壓南越，

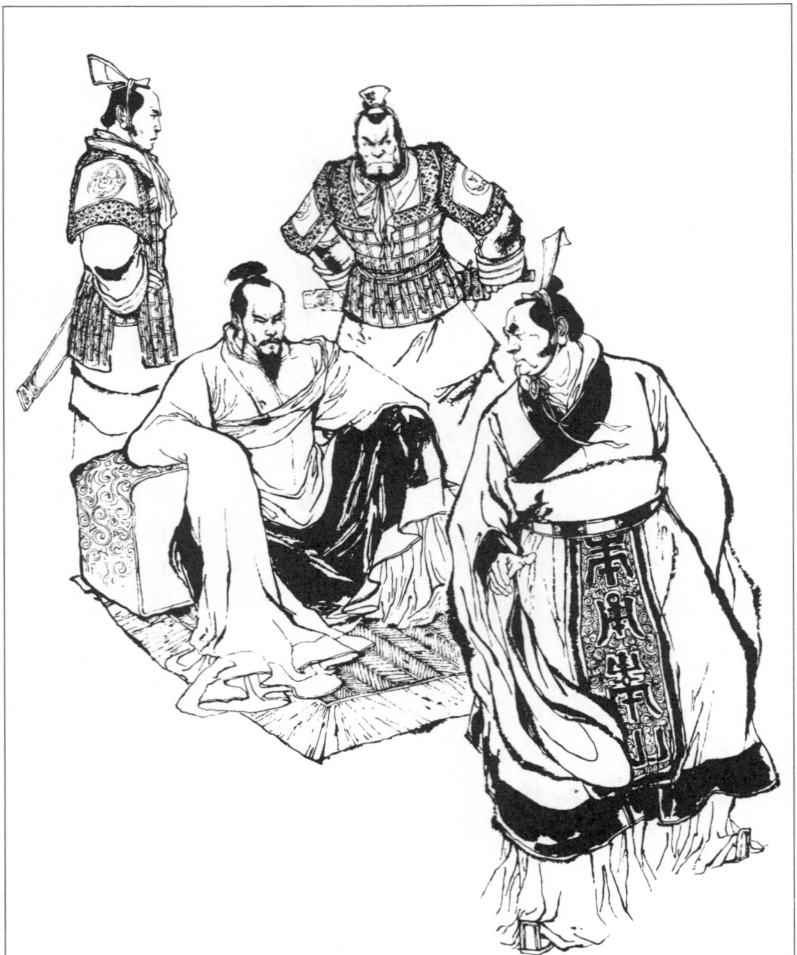

看你怎麼辦？』

趙佗一開始就被陸賈的聲勢嚇住了，再聽他的話也不無道理；因此，乖乖接受劉邦封給他的『南越王』印信，向漢朝稱臣納貢了。

陸賈外交的成功，除了伶牙俐齒之外，最重要的是他有深厚的學問基礎。有一次，陸賈在漢高祖面前談到詩、書。漢高祖聽得很煩，便斥責他：『老子是馬背上得到的天下，根本用不到什麼狗屁詩書。』

陸賈立刻頂上一句：『馬背上得到天下，難道你也要在馬背上治理天下嗎？』

漢高祖一想也有理，由於漢朝的開國功臣多半是屠狗賣布的生意人，缺少學問涵養，時時在朝廷上大吵大鬧，發起酒瘋來還拔劍砍柱子，簡直不成體統。因此，漢高祖就命陸賈記述治亂興亡的道理，共十二篇。陸賈每奏一篇，漢高祖便連聲讚說：『妙！』左右大臣也羣呼：『萬歲！』這本書是歷史上有名的《新語》。

以後，高祖、惠帝相繼死亡，呂后專政，陸賈不問政事，整天與昔日老友飲酒談天。其實，他仍密切注意朝廷的一舉一動。

有一天，他去看丞相陳平，由於陸賈是熟客，守門的也未通報，陸賈一直進了內室，發現陳平在低頭嘆氣，他開口問道：『丞相有何憂思？』陳平突然驚起，抬頭一看是老朋友，才放心的請陸賈坐下道：『你說我有什麼心事啊？』

陸賈不慌不忙的答道：『你位居上相，食邑三萬戶，享盡了富貴，還不免於憂愁，恐怕是爲了太后專政吧。』

陳平急忙用食指在唇上比道：『噓，小聲一點！』然後說：『你猜得不錯，敢問有何妙計能使天下轉危爲安？』

陸賈答道：『天下安，注意相；天下危，注意將。只要將相和，何事不成？』

陳平臉上面有難色，原來這時朝廷的大將絳侯周勃與他有前怨，兩人不和已久，現在聽了陸賈的話，決意與絳侯重新修好。陳平又拿了車馬五十乘，奴婢百人，錢五百萬緡送給陸賈，使他能在公卿間辦外交，祕密相結合。憑著陸賈的遊說，果然策動了許多朝臣，共同爲保衛漢朝政權而努力。

呂后死後，外戚呂氏家族的敗亡，陸賈也有很大的功勞。

閱讀心得

【第72篇】漢文帝仁孝英明。

呂后病死後，陳平與周勃發動兵變，掃除了呂家的勢力。那麼，應該由誰來繼承王位呢？

由於呂后所立的王，都不是漢高祖的後代，沒有資格做皇帝，最後大家公推代王劉恆。因爲：一、他是漢高祖的兒子，年紀雖然比較大，但爲人十分寬厚。二、他的母親薄氏一家人都很善良，對政治沒有興趣，不會發生類似呂后干政的禍事。

代王恆接到消息以後，雖然覺得是一個自天而降的大喜事，卻也不敢急忙動身。他先召集手下商量後，又去拜見母親薄氏。薄氏當年在宮裡吃過很多苦，深知宮廷內幕黑暗重重，不怎麼贊成兒子當皇帝，但也不便阻止兒子的前程，於是答應了。

薄氏並非漢高祖寵愛的妃子，竟然老來交運，母以子貴。尤其代王特別孝順，母親生病時，親自侍奉湯藥，日夜不眠，大家都誇薄氏苦盡甘來。

代王入宮以後繼位爲漢文帝。說也奇怪，薄太后的遭遇是出於意外，而漢文帝的繼后——竇氏也是反禍爲福。

竇氏是趙地觀津人，父母很早便去世了，只有兩個兄弟相依爲命，哥哥叫長君，弟弟叫少君。由於受到兵災，沒法維生，朝廷挑選秀女，竇氏

長得很美，一應徵立即入選。被召進皇宮伺候呂后。

不久，呂后分發宮女給各國國王，一國派五個。竇氏家鄉在觀津，因此她希望分到附近的趙國，拜託太監幫忙。太監答應，沒想到臨時忘掉了，改派到代國去。竇氏上路後才知道，一路上哭得天昏地暗。

沒想到到了代國以後，卻很受代王寵愛。後來代王王妃去世，她就繼爲王妃；代王這會兒又當了皇帝，立竇氏的兒子啓爲太子，竇氏便成爲正宮皇后娘娘了。還把哥哥長君接到長安來。

竇氏與長君談起小弟少君的事，長君哽咽的說小弟逃難時被人搶走，生死不明，兄妹兩人都很難過。沒料到，有一天她忽然收到一封信，是少君寫來的，信中提到小時候和姊姊一起去採桑葉，不小心從樹上跌下來的往事。

竇氏一回想，果有此事，連忙請求文帝派人把少君找來。文帝仔細盤問他的身世，當他說到：『我和姊姊分手的時候，姊姊向鄰舍討了一點米湯，自己捨不得吃，一匙一匙的餵我，又幫我洗了個頭。』竇氏一把抱住了少君說：『你眞是我的弟弟，可憐啊可憐，竟被人賣了當奴隸。』

漢文帝心地善良，看到他們姊弟抱頭痛哭的景象，鼻子也酸酸的，賜給他們一家人許多錢財好好過日子。又爲他們請了好師長，教導做人處事的道理。由於文帝一家人都是好心腸，因此對老百姓特別的好，而且處事公平。

有一回，漢文帝到花園裡去玩，看到園子裡有許多野獸，他把園子裡的管理人員找來，問他：『這兒共有多少禽獸？』管理員一下被問住了，答不上來，倒是旁邊一個小職員對答如流。漢文帝稱讚道：『這才叫負責任。』

回去以後，漢文帝便把那個小職員提升爲上林令。有個侍從告訴漢文帝：『能做事的不一定會講話，會講話的不一定能辦事。』漢文帝聽了覺得很有道理，就撤銷了提升的命令。

由於漢文帝勤政愛民，又能採納忠言，因此造成了後世所稱道的『文景之治』。

閱讀心得

【第73篇】

少年才子——賈誼。

賈誼是洛陽人，從小就有天才兒童的美譽，十八歲的時候他寫的文章已經遠近知名了。漢文帝聽說賈誼讀書多，有才幹，特別請他到京都去擔任博士。

這個時候，賈誼才二十歲，朝廷的官員中數他最年輕。當時隨同漢高祖起兵的老臣都是草莽粗人，長於上馬殺敵，叫他們在大廳上文謅謅的講話應對，還眞是困難。因此，每當開會商討國事，老先生們難以開口時，賈誼便爲他們一一寫奏章，滿朝文武都誇賈誼是青年才俊，漢文帝更是賞識他，不過一年的工夫，提升爲太中大夫。

賈誼又向漢文帝提議了許多事情，文帝也很贊成，本來還想拔擢他爲公卿的，沒想到丞相周勃大大反對，他曾批評賈誼『年少初學，經驗不夠，專想弄權，挑撥是非』，對賈誼的才能很嫉妒，更不能忍受賈誼的風頭太健。文帝只好把賈誼派到長沙去當長沙王的太傅。

文帝派賈誼到長沙還有一個用意，他不能讓諸侯們發現他想實施賈誼的『強幹弱枝政策』，所以故意謫貶賈誼的官。

當時的漢朝建立了很多的藩國，這些藩國的力量都相當強大，時時準備造反，賈誼認爲這種現象，是『漢朝像個生重病的病人，軀體衰弱，四

肢浮腫，腫得腳脛和腰一般大，手指和大腿一般粗。』四肢、手指比喻諸侯藩國，身體比喻漢天子。必須『強幹弱枝』，國家才有希望，因此他主張削弱地方的力量。

賈誼不曉得這是漢文帝用他的政策而放的煙幕彈，他很傷心的到了長沙，一直鬱鬱不樂。有一天，賈誼在書房裡看書，忽然一隻鵩鳥（小如雞，像貓頭鷹，古時以爲不祥之鳥）飛進了他的寓所，瞪著賈誼看，樣子十分安閒自在。江南人的迷信，認爲這是一件不吉祥的惡兆。從此，賈誼更不開心，覺得壽命將盡，寫了一篇『鵩鳥賦』寬慰自己。

直到他被貶以後的第五年，由於漢文帝想念他，才把他從長沙召回。賈誼到了首都，恰好漢文帝祭過神，靜靜坐在宮室之中，等賈誼行過禮以後，就跟他談起有關鬼神的事情。賈誼一開口滔滔不絕，說得頭頭是道，漢文帝聽得入神了，直到三更半夜才回宮入睡。回到寢宮後，漢文帝自言自語道：『好久沒看到賈誼了，以爲他的學問不及我，現在才曉得我還是差得遠哩！』過了兩天，派賈誼爲少子梁王的老師。

賈誼滿腔愛國的熱忱，滿肚子國計民生的大計，但是漢文帝一點兒也沒問到，只談些祭鬼神的事，賈誼很是失望。一直到千百年以後，唐朝的大詩人李商隱還爲他嘆息道：『可憐夜半虛前席，不問蒼生問鬼神。』

一個有責任感的知識份子，不論是否有機會施展抱負，總是想爲國家貢獻一份心力的。賈誼雖然沒有被重用，仍然很懇切的寫了一篇治安策獻上去，說國家現在諸侯難制、匈奴侵略是應該流淚的兩件事；太過奢華，上下沒有禮節，不重禮義廉恥等，是應該嘆息的大事。這一篇治安策，寫得有內容、又有感情，是我國文學史上古今傳誦的寶典（又名陳政事疏）。

文帝的第十一年，梁王入朝拜見文帝，不小心從馬上摔下來而死。賈誼身爲梁王的老師，自怨沒有盡到職責，整天以淚洗面，不久便去世了，死時才三十三歲哩。杜甫所寫的『壯志未酬身先死，常使英雄淚滿襟』這兩句我們常聽到的詩，正是宋朝的王安石對賈誼的哀悼。賈誼雖然很早便死了，但他的愛國熱情永遠是青少年們的一個典範。

閱讀心得

【第74篇】緹縈救父。

在漢朝初年的時候，有個很有名的醫生叫淳于意。他住在臨淄城裡，曾經跟一個叫做陽慶的人學醫，把黃帝、扁鵲脈書及五色診病諸法，都了解得一清二楚。由於醫術高明，無論什麼疑難雜症，經他一看，立刻痊癒。因此，前來求診的人愈來愈多。

淳于意當初學醫的時候，打定了主意懸壺濟世，他不但不會亂敲病人竹槓，甚且有時遇到貧苦的病人，連醫藥費全免了，所以日子過得很清苦。

他也曾做過一任太倉令，因爲生性淡泊，不習慣官場生活，沒有多久便辭職退隱，依舊過著樸實的生活。

由於他醫術高超，收費又很低廉，附近的民衆都稱他爲神醫，而且到處宣傳，因此，很遠地方的病患也千里迢迢來求醫。可是，淳于意的診所太小，人手也不夠，他從早到晚忙得飯也不能吃，覺也沒有辦法睡，還是應付不了絡繹不絕的病人。

淳于意的小女兒緹縈，眼看著父親再忙下去就要病倒了，好心的勸淳于意說：『爸爸，你出去幾天散散心吧，否則眞要累垮了。』淳于意也實在吃不消繁重的工作了，於是出門去旅行。

沒想到就在淳于意外出的時候，有個病人老遠的前來治病，沒碰到醫

生，不幸病重死掉了。

病人的家屬心情惡劣，也很不講理，硬說是淳于意不肯醫治，延誤病情，一狀告上去，說他『借醫欺人，輕視生命』。地方官是一個糊塗的縣老爺，也沒有問清楚案情，判他一個『肉刑』。

由於淳于意做過縣令，依法不能隨便判刑，一定要上報皇帝，漢文帝便命令把他押往長安審訊。

淳于意受了不白之冤，心裡難過極了。他沉痛的說：『這年頭，真是好人難做，也怪我倒楣，一連生了五個女兒，沒一個兒子，到了緊要關頭，拿不出一點辦法。』他的五個女兒聽了非常難過，忍不住淚如雨下，尤其是平時淳于意最疼的小女兒——緹縈，更是哭得眼睛都睜不開了。

緹縈陪著父親到了長安，她一路上都在想淳于意這句傷心話，也在想可怕的『肉刑』。

根據漢朝的法律，肉刑有三種：第一種叫『黥』——在臉上刺字，讓別人一看便知道這是犯人；第二種叫『劓』——就是割掉鼻子；還有一種叫作『斷左右趾』——便是把足趾割去。不論哪一種都相當恐怖。有一天晚上，緹縈夢見父親被割去了鼻子，哭喪著臉拖著腳步走來，嚇得她跳起來大喊救命。

於是緹縈在情急之下，冒著生命的危險上書漢文帝，信上說：『我父親當過縣令，齊國人都稱讚他廉潔、公平。現在，因爲犯了法，要受到肉刑的處分。我很痛心人死了不能復生，受刑人不能再恢復原來的模樣，就是想改過自新，也沒有法子。我願意做你的官婢，使我父親有自新的機會。』

漢文帝非常感動，不但免了淳于意的罪，召他到宮中問醫道，更從此廢去了殘酷的肉刑。一個弱小的女子，憑著她的孝心，竟使天下人蒙利，而她的孝心也更因而流傳萬古。

閱讀心得

【第75篇】

漢文帝中了新垣平的詭計。

我們時常聽到人家說，某一個乩童很靈驗，或是某個算命的特別準。其實，這種事一點兒也不稀奇，都是騙人的把戲，遠在古代便有了。

漢朝採用黃老學說，以清靜無爲，不擾百姓爲原則。漢文帝一生都抱持這個主張，卻也使一些騙子有了可乘之機。

在魯國地方有個叫公孫臣的，他給漢文帝上了一篇報告，說依照金木水火土五行來看，漢朝是土德，不久會有黃龍出現。因此，請求改正朔，更換衣服的顏色爲黃色。

漢文帝接到報告，拿給丞相張蒼看。張蒼說：『不對，不對，漢朝應該是水德。』漢文帝也就沒有再提。

不料到了漢文帝十五年，隴西地方紛紛傳說有黃龍出現，雖然誰也沒有親眼看見，但傳說得很厲害，一直傳到了京城。

漢文帝竟然信以爲眞，把公孫臣看作異人，說他能夠預知未來，實在太了不起了。馬上召他爲博士，並且更換衣服的顏色，還命令禮官準備郊祀大典，辦得轟轟烈烈。從此，丞相張蒼被冷落一旁，公孫臣愈來愈得寵。

出了一個公孫臣，自然有人看得眼紅，不多久，第二個公孫臣出現了。

當時，趙國有個叫新垣平的人，非常乖異，專門會騙人，聽說公孫臣

正走紅，也想去湊上一脚，他去學了幾句術語，跑到長安城，請求見漢文帝。

漢文帝已經對這種事迷得昏昏沉沉，聽說又有方士到了，馬上請入皇宮。新垣平見過禮後，眼睛瞪著前方很嚴肅的胡扯：『我遠遠看見一股瑞氣，特別來向陛下道賀的。』

『噢，你看見了什麼？』漢文帝聽說有喜事，立刻很有興趣的追問。

新垣平假裝正經的回答：『長安東北角的上空，聽說是東北神明居住的地方。現在忽然有五色雲彩出現，一定是五帝顯靈保護，陛下應該在東北方造一座廟宇，讓五帝居住，這樣就可常保瑞氣。』

漢文帝立刻派新垣平主持辦理這件事。廟宇建在哪兒才合適呢？無所謂，反正是新垣平自己胡亂編造的。他出了東北門，走到了渭陽，裝神弄鬼，裝模作樣的對天上望了半天，又對著天空自言自語講了許多莫名其妙的話。然後，突然跳起來，朝空地一指：『就是這裡！』

廟蓋好了以後，漢文帝親自前往五帝廟祭祀。祭祀時，舉起煙火，直沖雲霄，新垣平就喊著說：『你們看，瑞氣！瑞氣！』

漢文帝聽了龍心大悅，回宮以後，請新垣平擔任上大夫，並且還有優厚的賞賜哩！有一天，漢文帝坐車子經過長安門時，遠遠看到有五個人站在道路的北邊。他正想看個仔細，忽然這五個人從五個不同方向走遠消失了，他們穿的衣服是青、黃、紅、赤、白五種顏色。漢文帝暗吃一驚：『老天爺，我該不是遇見了五帝吧？』連忙把新垣平喊來問話。新垣平一聽馬上下跪：『恭喜皇上，賀喜皇上。』對自己的計策得意極了。

文帝立刻趕工建築五帝壇，對空遙祭。新垣平又怪裡怪氣的嚷道：『有寶玉之氣。』果然，話沒有說完，便有一個人捧著玉杯前來，上面刻有『人主延壽』四個字，說是上天賜下給皇帝的。文帝看了高興得不得了，很小心的捧回宮中藏好。

正在興奮的時候，有人上奏新垣平弄神搗鬼，欺騙皇上。漢文帝倒也不是個昏君，派人日夜跟蹤，發現新垣平果然是個騙子。查明以後，立刻砍了他的腦袋瓜子，而且再也不迷信了。

閱讀心得

【第76篇】

下棋竟釀成了大戰。

你喜歡下棋嗎？下輸了會不會生氣？以下我們要講一個跟下棋有關的故事。

漢高祖曾封功臣爲王，但又怕他們各據土地，勢力太強，因而在國基穩定以後，陸續誅除異姓諸王，只封劉姓子弟爲王。但是不久以後，劉姓諸王也漸漸跋扈起來，形成對中央的威脅。

其中有個叫劉濞的被封爲吳王，是漢文帝的堂兄弟，鎮守東南地方好些年。吳國有銅山可以鑄錢，有海水可以煮鹽，因此國家非常的富強。漢文帝當了十年皇帝，吳王還沒有入朝去覲見過一次。

有一回，吳王的太子賢到京師去。漢文帝喚出太子啓與他相見，兩個堂兄弟年紀都不大，一見面便玩得很開心。玩了幾天以後，愈來愈熟悉，也就漸漸隨便了。

做爲一個太子是很寂寞的，難得有了玩伴，太子啓很興奮，拉著賢東奔西跑：喝酒、賭博、下棋，玩得最多的便是下棋了。

有一次，兩個人又在一塊兒下圍棋，皇太子啓的侍臣和陪吳王太子賢來京的師傅在一旁觀看，幫忙出主意。

下了幾盤以後，雙方各有勝負，兩個人都心裡不痛快。皇太子啓是堂

堂全國的太子，從小備受父皇的寵愛，平時讀書沒有同學競爭，連作業寫錯了，也是由太監代他受罰，這輩子還沒有輸過，因此氣虎虎的說：『不好玩，我不玩了！』

『再來一盤吧！你是不是怕了？』吳國太子賢還要下，他看不出皇太子啓不高興，就是看出了，他也不曉得皇太子是不能得罪的，因爲在吳國誰看到太子賢不畏懼三分？

『好，下就下，我還怕你不成。哼！』皇太子啓不甘示弱，捲起袖子便落子。兩個人越下越緊張，到了生死關頭，皇太子啓誤下了一著棋，牽動全局，眼看著便要輸了。

皇太子啓立刻把棋抽回來說：『這一著不算。』

『怎麼可以不算？』吳國太子賢氣得大叫，他的師傅脾氣暴烈，打抱不平的說：『你將來要當皇帝的人，怎麼可以賴帳？』非要把棋子搶回來，拉拉扯扯糾纏不清。

皇太子啓是儲君，從小就沒受過委屈，心裡一火，順手提起棋盤，便往吳國太子賢擲去，賢沒有防備，閃避不及，立刻腦袋開花，小命歸天。

漢文帝聽了大吃一驚，但也不好加罪皇太子，把他狠狠訓了一頓。然後，把吳國太子的師傅傳去，一面用好話勸慰，一面厚殮吳國太子賢，命吳國太子的師傅護送靈柩回到吳國。

吳王濞看到愛子竟躺在棺木裡運回來，問清楚事實後，悲憤極了。他不肯收下棺木，生氣的說：『他既然死在長安，就把他埋在長安算了，幹什麼又搬回來？』於是，派人把棺木又運回長安。漢文帝無可奈何，只好把吳國太子賢埋葬了。

從此以後，吳王濞對漢朝中央政府極爲不滿，每次朝廷派使者到吳國來，他都是愛理不理的，既驕傲又無理。漢文帝知道他是爲死了兒子難過，也就原諒他三分。並且派人請他到京師，打算當面勸勸他，重修舊好。

哪知吳王濞不領這個情，説什麼也不肯到長安去，推説自己病重無法遠行。等到漢文帝打發人探病時發現，吳王濞精神健旺，毫無病容。漢文帝簡直氣壞了，但爲了怕吳王造反，還是採取安撫政策，並且賜給吳王一根拐杖，説吳王年紀大了，走路不方便，特准他不必入京朝見。

後來，漢文帝去世了，皇太子啓即位，是爲漢景帝。漢景帝聽信鼂錯的話，準備消滅各國的兵力，吳王濞首先發難，這便是歷史上有名的吳楚七國之亂。

其實，下棋難免有輸有贏，人生的戰場上也一樣，要輸得起才打得贏，可不能學漢景帝。

閱讀心得

【第77篇】皇帝也會被擋駕？。

在我國古時候，皇帝握有無限權力，他們除了受到自己的觀念、想法與良心限制之外，不受任何拘束。同時，中國自古也從沒有聽說過任何法律來約束帝王的。但是，漢文帝有一回竟然接二連三遭到部下喝斥，這究竟是怎麼一回事？

在漢文帝時代，漢朝仍然採取和親政策對付匈奴，每年送給匈奴大批金帛，並且派遣宗室女子下嫁單于。本來倒也相安無事，後來有人從中挑撥，向單于說中國的女子個個長得嬌美如花，而且中國地大物博，要什麼有什麼，漢朝送上來的，實在比不上自己搶來的豐盛。單于聽得垂涎三尺，便在漢文帝六年，分兩路出兵進攻。

邊防的將領已多年未用兵，過著逍遙自在的清閒日子，忽然聽說匈奴大舉進犯，驚慌得舉起煙火，忙亂的開始準備，一個個暈頭轉向，以為自己在做惡夢。

漢文帝接到報告，大吃一驚。立刻派了三名大將，分作三路去抵抗。又派了河內太守周亞夫駐兵細柳，宗正劉禮駐兵灞上，祝茲侯徐厲駐兵棘門。

由於漢文帝很不放心，過了幾天，他親自出馬去勞軍。他先到了灞上，

然後又到了棘門。兩次都是直入軍營，沒有預先通報，所以劉禮和徐厲都直到漢文帝進了營門，才慌慌張張率領部下趕來，『撲通』一聲跪倒在地：『未曾遠迎，請陛下恕罪。』漢文帝隨便慰問他們幾句便離開了。

這一次，漢文帝來到了細柳營；還沒有進門，已經發現氣氛大不相同：守營的甲士無論是持刀的、拿戟的、張弓的，都是表情嚴肅，彷彿隨時要與敵人一決生死似的。

漢文帝從沒有看過這種情形，心中覺得很奇怪，便差人傳令：『皇帝駕到！』

可是，那些衛士竟然毫無動靜，既沒有急忙迎接，也沒有派人通報，甚且漢文帝正要驅車進入時，有個衛士大吼一聲：『站住！』漢文帝一時之間，簡直不相信自己的耳朵。那衛士接著說：『軍營之中只聽將軍的命令，不聽皇帝的命令。』

漢文帝只好拿出符節（皇帝的信物），交給守營門的衛士，叫他進營去通報。

周亞夫得到消息，下令打開營門歡迎皇帝，漢文帝的車子才剛剛駛入，沒有想到走不到兩步路，又衝出一個衛士喝道：『停住。』

漢文帝有點冒火，他問：『又是哪兒不對啦？』

原來，周亞夫規定：『軍營之中車子不能快駛。』於是，車夫只好拉著馬緩緩前進。

進了軍營大門口，這才見到了周亞夫。他全副軍裝，披甲佩劍，看到漢文帝也不下跪，只長長作了一揖，從容不迫的說：『末將著軍裝不能跪拜，只行軍禮，請陛下勿責。』

漢文帝微微點頭答禮。左右的人說：『皇帝是特地前來慰勞將軍的。』周亞夫便率領兵士，恭敬站立兩旁鞠躬答謝。

道謝完畢，漢文帝要回去了，周亞夫也不送文帝出營門，漢文帝的車子剛走，『咔嚓』的一聲，軍營大門立刻關上，森嚴極了。

馬車『滴答，滴答』往前走，漢文帝回頭看看細柳營，深深的嘆了一口氣道：『這才是眞將軍！灞上和棘門的將士，簡直像兒戲，敵人摸進來砍了主將的腦袋，恐怕他們還在睡大覺哩。』

過了四、五年，漢文帝年紀大了，他臨死以前，拉著太子啓的手說：

『兒啊，周亞夫很不錯。將來如果遇到變亂，可以叫他掌兵權，不必多疑。』後來太子啓即位，就是漢景帝，他平定了吳楚七國之亂所用的大將，便是周亞夫。

閱讀心得

【第78篇】周亞夫找不到筷子。

在上一篇說到漢文帝臨終時，告訴兒子景帝：『萬一國家有亂時，要重用周亞夫，他是眞正的大將軍！』

果然，在漢景帝即位不久，由於他削奪各個王侯的封地，引起吳、楚等七國的叛亂，幸虧靠著太尉（官名）周亞夫的神機妙算，很快便把亂事平定了。

從此以後，中央的權力加強，漢代政治逐漸形成中央集權的局面，這一切都是周亞夫的功勞。因此，丞相退休後，周亞夫當上了丞相。

這個時候，漢景帝和新得寵的妃子——王夫人感情好得不得了，因此他想把太子廢掉，改立王夫人的兒子爲太子。周亞夫聽說這件事，立刻去勸景帝：『千萬不可以隨便更換太子。』景帝不理會，反而覺得周亞夫自以爲有功勞，什麼事都要管，十分討厭。

王夫人的兒子當上了太子，她也搖身一變成爲皇后。哇！這下可神氣了，走到哪兒都有人巴結。只有周亞夫不理這一套，甚且當王皇后想封哥哥王信爲侯時，周亞夫馬上站出來說：『不可以，不可以！當年漢高祖立下了規矩，不是姓劉的不可以爲王，沒有功勞的人不可以封侯。如果有人違反，全天下的人都能攻擊他。』

當初漢高祖爲了恐怕大權落入外人手中，確實曾說過這樣的話。漢景帝無可奈何，只好不封王信爲侯，心裡卻氣得癢癢的，直怪周亞夫多事。恰好這時匈奴有六個人來投降漢朝，漢景帝很高興，準備給他們官做。周亞夫又有意見了，他的看法是：『這些人背叛他們的主人投降陛下，這根本就是不忠。這種不忠的人陛下不處罰，反而獎勵他，那麼，將來陛下如何能要求朝廷的臣子對您忠心？』

漢景帝被他頂得啞口無言，又想起周亞夫當年把他父親擋在軍營外的事，以及以後種種煩人的舉動，再也不能忍耐了！火冒三丈的說：『丞相的意見不合時宜，不能採用。』

周亞夫碰上了一個大釘子，知道自己不受歡迎了，第二天便提出辭呈，不幹丞相，景帝也不挽留。

周亞夫性情耿直，凡事只問是否對國家有利，其他一概不管，所以得罪了很多人。這些人跑到景帝身旁咬耳朵，說他驕傲、自大、跋扈，不把皇帝看在眼裡。

古時候的皇帝自命爲天子，就是上天的兒子，最怕別人看不起他，尤其對周亞夫這種會帶兵的將領，又愛又怕，既要將領保衛國家，又擔心他們會造反，那種感覺像背上長了一根刺，非常不舒服。

於是有一天，漢景帝想試探一下周亞夫的忠心程度，便請周亞夫進宮吃飯，桌上擺了一壺酒，盤子裡有一大塊肉，卻沒有筷子。周亞夫心裡想，這八成是漢景帝故意戲弄他，火大極了！向旁邊的侍衛喊道：『拿筷子來！』

擺酒席的人早已受過囑咐，一動也不動，呆若木雞。

周亞夫很憤怒的瞪著侍衛，正要再喊。

漢景帝說：『怎麼，這樣子你還不滿意？』

周亞夫聽了皇帝的口氣，知道是不滿意自己，便不敢再說話，不得已離開座位下跪道謝。景帝目送他離去時，恨恨的說：『哼！瞧他還不服氣似的。』

後來，周亞夫的兒子，拜託主管皇帝用品的官員，買了五百副甲盾，準備在周亞夫死後出殯時護喪用。周亞夫的兒子想省點錢，沒付工人搬運費，工人一氣之下上了報告，說周亞夫偷買違禁品，有造反的嫌疑。

周亞夫不曉得這件事，因此不能答辯，被關入大牢。在開庭審問時，法官問他：『你為什麼要造反？』

『這是我兒子買來給我出殯用的，怎可誣賴我造反。』

『你就是不想在地上造反，也想到地下造反，你不必多說了。』

『人死了還能造反嗎？』周亞夫閉起眼睛，懶得再說。直到他死，他心安理得。而且千秋萬世都景仰他的一片忠心。

閱讀心得

閱讀心得

閱讀心得

歷代・西元對照表

朝　　代	起迄時間
五帝	西元前2698年～西元前2184年
夏	西元前2183年～西元前1752年
商	西元前1751年～西元前1123年
西周	西元前1122年～西元前 771年
春秋戰國(東周)	西元前 770年～西元前 222年
秦	西元前 221年～西元前 207年
西漢	西元前 206年～西元 8年
新	西元 9年～西元 24年
東漢	西元 25年～西元 219年
魏(三國)	西元 220年～西元 264元
晉	西元 265年～西元 419年
南北朝	西元 420年～西元 588年
隋	西元 589年～西元 617年
唐	西元 618年～西元 906年
五代	西元 907年～西元 959年
北宋	西元 960年～西元 1126年
南宋	西元 1127年～西元 1276年
元	西元 1277年～西元 1367年
明	西元 1368年～西元 1643年
清	西元 1644年～西元 1911年
中華民國	西元 1912年

國家圖書館出版品預行編目資料

全新吳姐姐講歷史故事. 3. 西漢/吳涵碧 著.
--初版.--臺北市；皇冠，1995〔民84〕
面；公分（皇冠叢書；第2469種）
ISBN 978-957-33-1213-0 （平裝）
1. 中國歷史

610.9 84006870

皇冠叢書第2469種
第三集【西漢】
全新吳姐姐講歷史故事〔注音本〕

作　　者—吳涵碧
繪　　圖—劉建志
發 行 人—平雲
出版發行—皇冠文化出版有限公司
台北市敦化北路120巷50號
電話◎02-27168888
郵撥帳號◎15261516號
皇冠出版社(香港)有限公司
香港銅鑼灣道180號百樂商業中心
19字樓1903室
電話◎2529-1778　傳真◎2527-0904
印　　務—林佳燕
校　　對—皇冠校對組
著作完成日期—1992年01月01日
香港發行日期—1995年09月25日
初版一刷日期—1995年10月01日
初版二十九刷日期—2021年05月
法律顧問—王惠光律師

讀者服務傳真專線◎02-27150507
電腦編號◎350003
ISBN◎978-957-33-1213-0
Printed in Taiwan
本書定價◎新台幣150元/港幣45元